~ 21/300 ~

CHEZ LE MÊME ÉDITEUR

Collection Santé + :

Se prendre en main, Beverly Nadler

Collection Réussite personnelle :

L'Université du Succès (3 tomes), Og Mandino
L'homme est le reflet de ses pensées, James Allen
S'aimer soi-même, Robert H. Schuller
Comment réussir sa vie, Alfred A. Montapert
Le pouvoir magique de l'image de soi, Maxwell Maltz
Les idées... sans erreur, M. R. Kopmeyer

Collection À l'écoute du succès (cassettes) :

L'homme est le reflet de ses pensées, James Allen
De l'échec au succès, Frank Bettger
La magie de croire, Claude Bristol
Réfléchissez et devenez riche, Napoléon Hill
Votre plus grand pouvoir, J. Martin Kohe
Comment contrôler votre temps et votre vie, Alan Lakein
Comment attirer l'argent, Joseph Murphy
Après la pluie, le beau temps !, Robert H. Schuller
La magie de voir grand, David Schwartz
Rendez-vous au sommet, Zig Ziglar

En vente chez votre libraire ou à la maison d'édition:
Un monde différent ltée
3400, boulevard Losch, Suite 8
Saint-Hubert, QC J3Y 5T6
(514) 656-2660

EN ROUTE VERS LA SANTÉ, LE SUCCÈS ET LE BONHEUR

Édition revue et corrigée

Dépôts légaux : 1er trimestre 1988
Bibliothèque nationale du Québec
Bibliothèque nationale du Canada

Conception graphique de la couverture :
DE PALMA, INC., RÉALISATIONS GRAPHIQUES

Photocomposition et mise en pages :
LES ATELIERS C.M. INC.

ISBN : 2-89225-136-2

EN ROUTE
VERS LA SANTÉ LE SUCCÈS ET LE BONHEUR

Les éditions Un monde différent, ltée
3400, boulevard Losch, Suite 8
Saint-Hubert, Québec
Canada J3Y 5T6
(514) 656-2660

Table des matières

Préface 9
Nota bene 13
Avant-propos 15
Introduction 17

Première partie

LE CORPS, INSTRUMENT DE L'ESPRIT

Chapitre 1 : L'être physique et l'être moral sont solidaires .. 23
Chapitre 2 : Votre puissance morale est intimement liée à votre culture physique 27
Chapitre 3 : Vous êtes libre de vous laisser vivre ou de vivre 33

Deuxième partie

CULTURE PHYSIQUE

Chapitre 4 : De l'alimentation 45
Chapitre 5 : De la respiration 51
Chapitre 6 : Le côlon homicide 55
Chapitre 7 : Phénomènes d'intoxication intestinale 63
Chapitre 8 : Traitement de l'intoxication intestinale 69
Chapitre 9 : Hygiène matinale 77

Troisième partie

CULTURE PSYCHIQUE ET MORALE

Chapitre 10 : Commence par faire la conquête de toi-même si tu veux conquérir le monde 85
Chapitre 11 : L'équilibre mental 91
Chapitre 12 : L'harmonie 101
Chapitre 13 : Appel au calme 115
Chapitre 14 : Les êtres extra-sensibles 125

Chapitre 15 : La personne bienveillante séduit 133
Chapitre 16 : Amour et bonté 141
Chapitre 17 : Souris au monde, il te sourira 151
Chapitre 18 : Si tu veux acquérir l'estime des autres, tu dois pouvoir t'estimer toi-même 159
Chapitre 19 : De l'influence de l'attitude sur les gens et les événements 165
Chapitre 20 : La concentration, faculté des as 173
Chapitre 21 : Applique-toi à faire le mieux possible ce que tu fais 185
Chapitre 22 : Utilité et excellence 193
Chapitre 23 : L'enthousiasme est le sentiment qui mène les hommes 201
Chapitre 24 : De l'autosuggestion 209
Chapitre 25 : Désir, volonté et action 235
Chapitre 26 : De la décision 245

Conclusion 253

Préface

C'est avec beaucoup de gratitude et une joie profonde que j'accueille la très grande responsabilité de préfacer cet ouvrage du Dr Victor Pauchet, médecin et professeur de chirurgie.

Je remercie de tout mon coeur Françoise et André Blanchard, de la maison d'édition Un monde différent, de m'accorder cet honneur. Je suis persuadé qu'*En route vers la santé, le succès et le bonheur* connaîtra un immense succès.

C'est à l'âge de 18 ans que me fut donné le privilège de découvrir ce volume. Vingt-cinq années se sont écoulées depuis.

Tout de suite, en ouvrant les premières pages, j'eus l'intuition certaine que je détenais entre mes mains une grande découverte, un immense trésor. Page après page, j'en découvris toute la richesse ; mais encore là, il me fallut le lire à plusieurs reprises, avec grande attention, pour en saisir toute la portée, toute la dimension, pour découvrir et vivre le coeur de ce trésor, son *essence ultime.*

Je sentais au plus profond de moi-même s'éveiller une petite vibration, une petite flamme, difficile à cerner mais présente, toujours de plus en plus présente. Il devait bien y avoir une phrase, un mot peut-être qui m'échappait, car je voulais fermer le cercle de l'expérimentation. En effet, je ne pouvais encore, à *volonté,* expérimenter cette vibration, cette saveur intérieure, cette réalité, cette mécanique de la santé, de la réussite, du succès et du bonheur… « qui fonctionne tout le temps ». Car, il faut bien l'admettre en toute humilité, il y a des journées ou des heures où le feu de l'enthousiasme, de l'attitude mentale positive, de l'optimisme, de la santé totale, de la réussite, du succès nous habite pleinement... et d'autres jours où il n'y a plus rien !

Pourquoi ? Il devait bien y avoir une constante, un truc quelconque que je ne saisissais pas bien. Il fallait à tout prix que je découvre cela ; je voulais toucher du doigt, palper, réaliser le truc à *volonté,* découvrir le *secret* de cette mécanique de la santé totale, de la réussite et du bonheur. Car souvent, lorsque nous ouvrons un volume et que nous le lisons, nous ne faisons que répéter des mots ; bien sûr, il peut arriver qu'un mot nous touche, nous pénètre comme une flèche, éveillant en nous une vibration. Mais cela est vite éteint, oublié, et nous poursuivons sans y porter plus attention.

Mais quel est donc ce mot, cette phrase, cette petite vibration, ce petit fil fragile qui peut nous conduire au coeur de cette grotte aux trésors ? Disons tout de suite que cette grotte, c'est nous-même. Et nous ne pourrons y pénétrer que par la connaissance de soi :

a) la connaissance du fonctionnement et des besoins du corps spirituel, ou santé spirituelle ;
b) la connaissance du fonctionnement et des besoins du corps psychologique, ou santé mentale ;
c) la connaissance du fonctionnement et des besoins du corps physique, ou santé physique ;
d) la connaissance du fonctionnement psychologique pour l'acquisition des biens matériels ainsi que des richesses nécessaires et utiles à la vie, ou santé économique.

Ces quatre blocs doivent fonctionner de façon *concomitante* si l'on veut atteindre l'équilibre, l'harmonie, la santé totale, le succès et le bonheur. Nous ne devons, pour aucune raison et sous aucune considération, négliger un bloc au profit des autres ; c'est-à-dire qu'il est impensable et totalement absurde de vouloir acquérir la richesse (santé économique) tout en ignorant ou négligeant la santé spirituelle, psychologique ou physique ; de même est-il tout aussi impensable et totalement absurde de chercher à développer l'aspect spirituel, psychologique ou physique au détriment de sa santé économique.

Bref, le développement de chacun de ces corps doit se faire, en concordance, de façon *concomitante.* Il ne faut jamais oublier que l'homme est un *tout* et que, par conséquent, notre action doit être *globale.*

En ce sens, notre objectif ultime, notre priorité fondamentale devra être cette santé *totale,* source de joie et de bonheur véritable. Cette santé totale s'appuiera sur

— une santé spirituelle authentique,
— une santé mentale adéquate,
— une santé physique solide,
— une santé économique certaine et excellente.

La vibration initiale, le déclencheur, la petite graine, le petit fil blanc qui rassemble le tout pourrait donc se résumer à ceci : à chaque jour, avec persévérance, en vue de la réalisation de nos objectifs et de la matérialisation de nos rêves et de nos priorités, nous devons réaliser de petites actions bien faites avec l'esprit de la foi, du dépouillement, de l'humilité et du pardon, et en ayant beaucoup de gratitude dans le coeur pour le moindre bienfait reçu. Cela pourra être réalisé facilement à l'aide d'un corps physique et d'un esprit sains qui auront été purifiés préalablement par le jeûne et entretenus régulièrement par une boisson et une alimentation saines, de l'exercice physique bien dosé et du repos.

Cette phrase est chargée d'énergie. Chacun des mots qui la composent est d'une très grande importance, d'une importance capitale. Il ne suffit pas à un affamé de regarder un aliment et de dire qu'il est bon ; il lui faut tendre la main, prendre et manger. Mangez cette phrase, pénétrez-vous de la vibration qu'elle contient. Lisez-la plusieurs fois, des centaines de fois même. Écrivez-la aussi des centaines de fois s'il le faut. Méditez-la afin que la vibration prenne racine en vous et qu'elle devienne réflexe, automatisme d'action et d'orientation en vue de la réalisation de vos priorités, de vos objectifs. Ce réflexe *éveillera* en vous votre rythme intérieur. En effet, il y a, en chacun d'entre nous, une petite vibration, un rythme, et lorsque nous avons découvert son existence, lorsque nous l'avons ressenti, entendu des centaines de fois, lorsque nous l'avons touché du doigt, il s'ensuit, comme par miracle, une paix immense, un calme, un énorme enthousiasme qui n'est *pas* l'emballement, l'excitation du moment créée par les toxines.

Il y a aussi une attitude positive à la vie qui est très naturelle et c'est l'espoir de la santé, du succès et de la sérénité.

Mais pour entendre et vivre cette vibration subtile, cette seule vibration vraie, cette vibration hautement supérieure, il faut faire taire les vibrations inférieures, il faut faire taire tout le vacarme et le vagabondage illusoire de l'ego et de ses faux désirs et vouloirs ; bref, il faut faire taire tout ce qui dérègle, tout ce qui perturbe, tant les toxines (physiques) que les poisons de l'esprit ; et là, dans ce *silence intérieur,* il y aura cette paix, cette sérénité, ce bonheur et cette richesse... Tel est le merveilleux trésor.

C'est dans ce seul esprit que le contenu de ce merveilleux volume, revu et corrigé pour les fins de cette toute nouvelle édition, doit être lu, relu, médité et intégré à votre système nerveux. Il vous apportera une grande joie, un immense bonheur, une santé solide et un succès certain... Il vous montrera la route à suivre pour réaliser *tous vos rêves.*

Dr Marcel Boivin

Nota bene

Le Dr Victor Pauchet étant décédé, les lecteurs qui désirent obtenir des informations ou des explications supplémentaires quant aux principes énoncés dans ces pages, n'auront qu'à contacter le Dr Marcel Boivin. Celui-ci se fera un plaisir de les aider en répondant au courrier qui lui sera expédié à l'adresse suivante :

Dr Marcel Boivin
2075, Place Belvédère
Chicoutimi (Québec)
Canada G7H 5B3

L'éditeur

Avant-propos

Votre destinée dépend non pas de la chance et du hasard, mais surtout de vous-même, c'est-à-dire de votre inconscient. Votre inconscient résulte de votre tempérament, ensemble des qualités ou défauts physiques et moraux légués par vos parents. Votre tempérament est la combinaison de votre constitution physique et de votre caractère ou constitution morale. Votre inconscient résulte de vos tendances, de vos instincts, de vos habitudes, défauts ou qualités. Ceux-ci, à leur tour, sont dus à la répétition des mêmes actes et à l'élaboration des mêmes pensées.

Votre destinée est donc le résultat de votre héritage ancestral, de vos pensées et de vos actes antérieurs. Vous ne pouvez supprimer l'instinct légué par vos ascendants, mais vous avez le pouvoir de corriger vos défauts, vos tares, de développer vos qualités, de surveiller vos actes et vos pensées pour organiser une part de l'inconscient et faire votre destinée.

Pour réussir, il vous faudra tantôt diriger les circonstances et les hommes, tantôt vous adapter à eux. Pour mener les circonstances et les hommes, il faut d'abord apprendre à vous diriger vous-même. Cette maîtrise de soi s'enseigne comme un art ou un sport, comme le tennis et le dessin. Si vous voulez donner à votre destinée la tournure que vous sou-

haitez, il faut apprendre à vous rééduquer vous-même. Nous sommes tous libres à un moment donné, nous sommes, par conséquent, toujours responsables sinon du présent, du moins du passé.

Victor Pauchet

Introduction

Le secret de la santé, du succès et du bonheur

Un transatlantique nous apportait il y a de cela nombre d'années une nouvelle sensationnelle. Quelques psychologues nord-américains venaient de découvrir le secret de la santé, du succès et du bonheur ; des réclames annonçaient que désormais il n'y aurait plus de valétudinaires, de malchanceux ou de malheureux que ceux qui le voudraient bien, car chacun possède en soi le pouvoir de se bien porter, de réussir et d'être heureux. Comme la nouvelle venait de loin, il fallait faire la part du « bluff » et disséquer le nouveau-né. Aussi ai-je étudié la méthode suivant la technique recommandée par les auteurs eux-mêmes, c'est-à-dire avec calme et bienveillance.

L'homme a la santé, le succès et le bonheur qu'il mérite

Dans la méthode américaine, il n'y a eu de « bluff » que la façon de l'annoncer ; c'est ce qui a rendu méfiants quelques scientifiques. Mais les Américains sont gens trop pratiques pour ne semer que des mots. La partie « bluff » consiste à faire croire qu'il s'agit d'une panacée et qu'on a découvert un nouveau radium. La partie solide consiste à rappeler l'attention sur des formules sages et pratiques, et à les présenter sous un nouveau jour. Cette philosophie ne nous apporte pas d'idées nouvelles ; « *L'homme*, dit-elle, *est l'auteur de sa propre destinée* » ; ou bien « *L'homme a la santé, le succès et le bonheur qu'il mérite* ».

Un capital à faire fructifier

Ces vérités sont vieilles de plusieurs siècles, mais ce qui est neuf c'est de nous avoir prouvé que *l'homme, sous l'influence de ses ancêtres, possède en lui-même un capital ignoré d'aptitudes physiques et mentales capable de lui donner santé, succès, bonheur,* et de nous avoir appris comment il peut mettre ce capital en valeur. Pour acquérir la santé, il faut alimenter et conduire sagement la machine humaine. Pour réussir, il faut éduquer vos bonnes aptitudes et laisser dormir vos vices héréditaires ; le bonheur est la conséquence de votre réussite et de votre santé. Pas de santé sans bon moral ; pas d'intelligence vraie, pas de caractère solide si les fonctions du corps sont troublées. Pour atteindre le succès et le bonheur point n'est besoin de grande intelligence ; une volonté ferme suffit ; il faut donc éduquer la volonté, s'entraîner avec persévérance au calme, à la bienveillance, à l'optimisme. Ici non plus, pas d'idées nouvelles.

La devise : « *Qui veut, peut* », était en honneur chez les chevaliers. Sous le nom d'urbanité, de courtoisie, de charité la bienveillance a régné de tout temps ; l'optimisme avait autrefois son entrée en France sous les traits de la BONNE HUMEUR, de la « *chère dame de liesse* », qui nous apprenait à tout prendre du bon côté.

La culture humaine

Ceci dit, abordons le côté pratique de la question. Il est entendu que tout homme possède en lui un capital de forces physiques et morales suffisant pour le faire réussir, *à condition pour lui d'avoir conscience qu'il les possède,* de faire ce qu'il faut pour les conserver et les développer en proportion de son ambition et de ses désirs ; c'est là qu'intervient le rôle de ce que les Américains appellent la *culture humaine.* « *Tout homme reçoit deux sortes d'éducation : l'une qui lui est donnée par autrui, et l'autre, beaucoup plus importante, qu'il se donne à lui même »* (Gibbons).

La malchance persistante ne doit pas exister

Les Américains ne croient pas à la malchance permanente ; la veine se montre cent fois au cours d'une seule existence. Malchanceux, ou plutôt malheureux celui qui n'a pas su acquérir les aptitudes nécessaires pour la saisir au vol ou la fixer s'il l'a saisie. Malchanceux le fatigué, l'ignorant, l'impulsif ou le timide. Il se console avec cette phrase : « La veine est aux canailles. » Certes, une minorité d'êtres amoraux peuvent réussir, grâce aux qualités d'énergie et de ténacité dont ils sont doués, mais le succès serait chez eux moins problématique, plus constant et plus certain s'ils avaient en sus le sens moral. Quand Mazarin disait : *« Donnez-moi un homme qui a de la chance »*, il avait reconnu, avec son expérience de l'humanité, qu'il faut s'entourer d'hommes de valeur, et la valeur est le plus souvent jugée par le succès permanent. La séduisante fortune ne viendra pas vous trouver dans votre lit ; il faut savoir attirer ses bonnes grâces. Votre succès dépend de votre valeur personnelle ; cette valeur peut être doublée, décuplée, si vous éduquez les qualités héréditaires qui dorment en vous.

Vous valez dix fois plus que vous n'êtes actuellement

Par habitude et pessimisme, quand vous parlez d'hérédité, vous n'envisagez que les tares familiales ; vous ne parlez pas des bonnes aptitudes ; de plus, votre vue trop courte s'arrête à vos parents et grands-parents ; elle ne s'étend pas jusqu'aux mille générations qui vous ont précédé. Chaque cellule de votre cerveau, chaque élément de vos endocrines renferme en puissance les qualités admirables ou les vices répugnants d'ancêtres nombreux ; qualités et vices dorment dans les replis de votre cerveau et sont destinés, suivant votre éducation, à se réveiller ou à dormir jusqu'à votre mort. Faites une sélection et secouez les qualités de leur torpeur ; laissez assoupis les défauts et réveillez les aptitudes ancestrales qui doivent former une belle mentalité, un beau caractère et une belle santé. Descendez en vous-même ; consultez vos désirs, vos ambitions ; reconnaissez les embryons de volonté, de justice, d'esthétique, de bienveillance que vous ont laissés vos ancêtres, et faites-en usage grâce à l'autosuggestion. L'histoire de cet héritage physique, moral et mental est celle des vieux tableaux de famille cachés dans la poussière des greniers. Cent fois le propriétaire passe devant sans les regarder, jusqu'au jour où un connaisseur attire sur eux son attention ; une fois nettoyée et mise en place, la toile du maître méconnu brille au salon de tout son éclat. Si vous n'êtes pas satisfait de votre sort, éveillez dans votre âme vos énergies ancestrales ; c'est possible à tout âge ; éduquez-les et vous deviendrez un bon terrain de culture pour la chance et le bien-être.

Sainte-Beuve disait à Madame de Loignes : « La chance est la possession de qualités qui ne sont ni au-dessous, ni au-dessus des circonstances, mais se trouvent juste à leur niveau. Certes, il y a une part de bonheur dans les choses humaines, mais il y a une plus grande part de conduite. » Voulez-vous saisir la fortune au vol ? Soyez prêt : « Aide-toi, le ciel t'aidera. »

Êtes-vous malade, malchanceux, malheureux ? C'est que votre vie physique et morale est mal comprise. Réformez votre existence ; imposez-vous une rééducation physique et psychique complète.

Première partie

Le corps, instrument de l'esprit

Il faut entretenir la vigueur du corps pour conserver celle de l'esprit.

VAUVENARGUES

Chapitre 1

L'être physique et l'être moral sont solidaires

Le corps, instrument de l'esprit

Le corps est l'instrument de l'esprit ; il doit être en bon état, sinon pas de succès possible. « *Il faut entretenir la vigueur du corps pour conserver celle de l'esprit* » (Vauvenargues).

Le tempérament

La constitution d'une personne exprime son état physique ; le *caractère*, son état psychique, mental, moral. Son *tempérament* est la combinaison des deux états.

Pour nous résumer par une formule mathématique, nous dirons : *constitution + caractère = tempérament.*

Il est inutile de répéter que le caractère est commandé par la constitution, que la constitution est modifiée par le caractère, et que ces deux états exercent une grande influence l'un sur l'autre.

Un exemple : *le tempérament vital*. Ceux qui le possèdent ont un teint coloré, un aspect plutôt poupin, une bonne figure réjouie, comme les types de Rubens. Leurs cheveux sont fins, souvent blonds, leur visage exprime la bonne humeur, la jovialité, l'amabilité, la serviabilité ; ils aiment la bonne chère et le mouvement : ils ont tendance à choisir les professions faciles à exercer, car leur courage est modéré.

Rôle des glandes endocrines

Chaque tempérament comporte, en principe, à la fois un aspect physique et un état moral déterminé, mais les types mixtes sont les plus fréquents.

Eh bien, quelle est la base anatomique du tempérament ?... Le cerveau ? Le sympathique ?... Oui, mais surtout les *endocrines*, ou glandes à sécrétions internes. Le lecteur sait le rôle considérable que ces glandes jouent dans notre organisme. Il sait que le foie fabrique de la bile, que les glandes salivaires font de la salive, que les reins font de l'urine, etc. Indépendamment de ces glandes à sécrétions externes, visibles, perceptibles, il est des glandes à sécrétions internes, ou à double sécrétion externe et interne, qui jouent un rôle capital sur notre constitution, notre caractère et par suite notre tempérament.

Quelles sont ces glandes ?

La thyroïde

La plus importante et la mieux connue est la thyroïde. C'est elle qui, hypertrophiée, constitue le « goître ». Suivant qu'elle fonctionne régulièrement ou non, la santé est normale ou modifiée.

La glande thyroïde est la glande de la rapidité (Léopold Lévi). Ceux qui ont une *insuffisance* thyroïdienne sont lents, paresseux, somnolents, aiment leur lit. Ceux qui, au contraire, ont une grande activité de cette glande sont suractifs, parfois nerveux, agités. Ceux qui ont de l'insuffisance thyroïdienne sont gras et paresseux et ceux, au contraire, qui ont une exagération de la fonction thyroïdienne, sont maigres, actifs, voire agités ou surexcités.

Les surrénales

Au-dessus de chaque rein, nous avons également une glande appelée *surrénale*. Léopold Lévi l'appelle « la glande de l'intensité ». Si un étudiant est hypothyroïdien, il aura peu d'entrain pour travailler. S'il est hyperthyroïdien, il travaillera très vite, mais pas nécessairement avec une attention très profonde ; il pourra être surperficiel. Mais si la surrénale est active, il sera un travailleur intensif, pénétrant, consciencieux.

L'hypophyse

Il existe également une glande endocrine à la base du cerveau : c'est *l'hypophyse*. C'est la glande du développement. Les sujets atteints d'insuffisance hypophysaire ont du retard dans l'apparition de l'intelligence, dans la formation du caractère ; en même temps, leur corps grandit lentement. Quand, au contraire, cette glande est hypertrophiée, elle transforme le sujet en géant.

Ces quelques lignes préparatoires sont destinées à montrer le rôle des endocrines sur notre psychisme (inconscient) et notre santé.

Prenons l'exemple de la paresse pour montrer les relations du psychique et du moral.

Un exemple

Sur les bancs de l'école, les paresseux sont fréquents. Si quelques-uns doivent leur nonchalance à une mauvaise éducation familiale, au mauvais exemple de leurs parents, *la plupart sont, sinon des malades, du moins des déficients,* et la paresse est due à une vue ou à une ouïe défectueuse, à l'insuffisance de la thyroïde, du poumon ou de l'intestin.

L'hypothyroïdien a tendance à l'obésité ; ses sourcils sont peu fournis ; il a l'aspect somnolent et mal éveillé. À la suite d'un traitement thyroïdien, il se transforme, maigrit et son intelligence s'éveille. Le travail devient meilleur.

J'ai connu des sujets à la taille courte et au cerveau lent, par insuffisance hypophysaire, qui, après traitement, grandirent et se développèrent au point d'acquérir, en deux ou trois ans, un état mental normal.

Chapitre 2

Votre puissance morale est intimement liée à votre culture physique

Les champions du succès

La bonne santé est due au fonctionnement normal des glandes endocrines et à une hygiène bien observée.

Le succès et le bonheur sont fonction de nos qualités morales et mentales ; ces qualités peuvent se développer par l'entraînement. Les champions de boxe, de tennis, les étoiles de la scène ne deviennent supérieurs que s'ils vivent uniquement pour leur sport ou leur art.

Si vous voulez être un champion du succès, il faut ne vivre que pour atteindre ce but. Ce but, vous l'atteindrez si vous le voulez. L'homme peut devenir un as du succès, comme un champion de golf ou d'escrime. Il le deviendra s'il se soumet à un entraînement méthodique et s'il considère cet entraînement comme l'occupation essentielle de sa vie.

Si vous éprouvez quelque malaise ou fatique, une certaine paresse mentale, qui tient à votre affaiblissement physique, au mauvais état de vos endocrines, il faut accroître votre santé et votre vitalité.

Si vous avez subi quelques échecs, ou éprouvé des déceptions, cet insuccès vient de vous-même ; vous manquez d'un certain nombre de facultés, ou celles-ci sont trop faibles : volonté, énergie, persévérance, esprit pratique, logique, ordre, mémoire, imagination, etc.

Équilibre du corps et de l'esprit

Pour réussir dans la vie, il faut posséder le plus grand nombre possible de ces qualités. Mais, direz-vous, il me suffirait d'en avoir deux ou trois... Erreur, pour devenir un « maître », un champion, pour réussir, il faut obtenir l'équilibre de l'esprit et du corps, il ne faut pas avoir de points faibles.

Peut-être direz-vous : « Je suis la victime des circonstances et de mes semblabes... » Cette réponse n'est qu'une excuse dictée par les préjugés. Vous avez des défauts qui vous paralysent ; il vous manque quelques qualités nécessaires au succès. Votre destinée est la résultante de vos forces inconscientes ; si vous voulez devenir un as, l'amélioration de vous-même sera le seul but de vos efforts. Vous devez, pour rééduquer votre inconscient, tendre *uniquement* au perfectionnement de vos facultés physiques, intellectuelles et morales. Quand vous les aurez accrues, *elles constitueront un capital inaliénable.*

Peut-être êtes-vous instruit ; vous avez fait de bonnes études, vous avez obtenu un baccalauréat, une licence, etc. Ces diplômes prouvent que vous avez une certaine mémoire ou une certaine puissance d'application ; je vous en félicite, mais c'est insuffisant pour réussir. Pour réaliser le succès et le bonheur de la vie, il faut posséder certaines facultés plus pratiques.

Il faut acquérir un équilibre parfait, c'est-à-dire pratiquer la culture intellectuelle, physique et morale. Il faut développer la volonté, l'énergie, la fermeté, l'esprit de justice, l'altruisme, l'art de plaire, et avant tout pratiquer l'autosuggestion.

Retenez cette formule : « Pour réussir dans la vie, il faut être maître des circonstances. Pour être maître des circonstances, il faut être maître des hommes. Pour être maître des hommes, il faut être maître de soi. »

Culture physique

Vous objecterez peut-être : « Que m'importe le côté physique de mon existence ?... Je ne tiens pas à avoir des muscles puissants, une circulation saine... » Cette belle santé n'est pas un but, mais un moyen. Il n'est pas possible que votre intelligence, que votre puissance morale se développent si vous ne vous soumettez pas à toutes les règles de l'hygiène et si vous ne faites pas de la culture physique régulière.

C'est le cerveau qui dirige vos actes moraux et mentaux. Or, le cerveau n'acquiert pas son plein rendement si le sang n'est pas pur, si la substance cérébrale n'est pas irriguée par un sang oxygéné et dépourvu de toxines. Pour que ce sang soit pur, pour que les fonctions cérébrales s'accomplissent d'une façon parfaite, il faut remplir les conditions physiques et hygiéniques que nous vous indiquerons.

Il n'est pas possible de séparer le développement mental et moral de la culture physique. Tout individu qui veut se développer mentalement ou moralement doit se développer physiquement.

Culture intellectuelle et morale

Pour réussir et être heureux dans la vie, il faut, *au point de vue physique,* élever les fonctions vitales, développer les muscles, oxygéner le sang, exalter la puissance des glandes à sécrétions internes. *Au point de vue intellectuel,* il faut développer la mémoire, l'imagination, la logique. *Au point de vue moral,* il faut développer la volonté, la décision, la puissance d'agir. Il faut posséder la « conscienciosité », le sentiment du devoir et de l'obéissance aux lois naturelles. Il faut être altruiste et optimiste. *Au point de vue pratique*, il faut acquérir le sens des valeurs, la connaissance de l'être humain, la connaissance de la profession. *Au point de vue social*, il faut développer l'autorité, le magnétisme personnel, qui attirent la sympathie et la confiance de chacun. *Au point de vue esthétique*, il faut développer le sentiment du beau et le besoin de perfectionnement.

L'être positif et l'être négatif

La culture humaine a pour but de développer, progressivement, les points faibles, de rendre la personnalité plus harmonieuse. Il y a dans votre personne deux être différents : l'un est un être « négatif », pessimiste, sceptique, qui se laisse facilement entraîner par ses instincts mauvais à la paresse, à la gourmandise ; il répugne à l'effort, il se sent volontiers porté à dénigrer les autres, à se montrer malveillant, il est accessible à la jalousie, à l'envie, à la haine. Par contre, il existe en vous un être « positif ». Il a foi dans la vérité, il possède la confiance en soi, l'enthousiasme, la bienveillance, il recherche la compagnie de ses semblables et volontiers leur rend service. C'est cet être positif que vous devez cultiver.

Du moment que vous développez vos points forts et *positifs*, vos points faibles et *négatifs* s'atrophieront, ils disparaîtront. C'est donc votre être positif que vous développerez. Il faut que vous deveniez optimiste, enthousiaste, confiant, bienveillant, altruiste, ordonné, volontaire, doué de décision, de persévérance, de courage, que vous soyez chaque jour de plus en plus compétent dans votre métier. Ces leçons vous guideront pour développer ces qualités.

Pour devenir une personne d'action

Il faut que vous deveniez *une personne d'action*. Il faut que vous réalisiez tout ce que vous concevez. Il faut que vous développiez votre personnalité, que vous soyez vous-même, que vous ne soyez pas tantôt l'un, tantôt l'autre. Nous avons dit qu'il existait en vous deux êtres ; vous devez développer l'un au détriment de l'autre. L'homme qui est tantôt triste, tantôt gai, tantôt pusillanime, tantôt courageux, tantôt hésitant, tantôt résolu, tantôt déprimé, tantôt enthousiaste, n'accomplit rien dans la vie, c'est un médiocre, voué à l'insuccès. Sa vie manque d'unité; sans unité, aucun succès n'est possible. Cet homme négatif est l'esclave d'impulsions diverses. Il lui est impossible de coordonner ses actes en vue d'un but déterminé. Il faut que vous poursuiviez l'unité de but ; c'est là le sujet principal de cette leçon. Il faut que votre vie ait un but unique.

De l'amélioration intégrale de vous-même

Or, le seul but que vous puissiez adopter sans avoir crainte de revenir sur votre décision, *c'est l'amélioration intégrale de vous-même.* Cette décision ancrée dans votre esprit vous donnera la paix, la stabilité, la sûreté, la sérénité. Dans les circonstances difficiles de la vie, vous vous direz toujours : « Quel est l'acte qui va développer les facultés que je veux acquérir ? » Or, toute action vous permet d'accomplir, de réaliser l'amélioration de vous-même. Il faut que toutes vos actions, toutes vos pensées, tous vos sentiments se rapportent à ce but unique. Nous exigeons de vous la croyance aveugle dans votre succès, sans discuter les axiomes que nous formulons ; faites votre programme quotidien, placez-y la culture physique et psychique et persévérez.

La persévérance est indispensable. Sans persévérance, impossible de réussir. Tous ceux qui réussissent sont des *persévérants.* Cette persévérance peut et doit être développée comme toute faculté.

Chapitre 3

Vous êtes libre de vous laisser vivre ou de vivre

Les deux rameurs

La vie est un fleuve qui entraîne une flotille vers la mer ; chaque barque est conduite par un rameur ; observez-en deux, comparez-les. Dans l'une, le rameur est assis et attend les incidents du parcours ; il ne manie ses rames que lorsqu'il aperçoit l'embarcadère, mais s'arrête parfois dans les rochers ou sur un banc de gravier ; il manque souvent le port faute d'avoir commencé ses manoeuvres assez tôt ; il est gêné par la crue ou la baisse des eaux ; il atteint toutefois l'embouchure du fleuve, mais se plaint des circonstances fâcheuses qui ont retardé sont parcours. Le second rameur compose avec le courant ; il mène sa barque comme il veut ; sans cesse en éveil, il s'arrête exactement là où il lui plaît ; sans retard, il atteint le but qu'il poursuivait. Telle est l'image de la vie humaine.

Destinée et caractère

Votre destinée est la conséquence de votre caractère ; votre caractère est le résultat de vos habitudes ou réflexes ; vos habitudes ou réflexes sont créés par la répétition des mêmes actes; les actes se produisent sous l'influence de vos idées ; vos idées sont dues à des suggestions ; ces suggestions sont produites par les personnes, les circonstances, le milieu. Voilà ce que c'est que le libre arbitre. Pour diriger votre propre destinée, il faut donc accepter les suggestions favorables aux idées, actes et habitudes propres à constituer un grand caractère.

N'accusez que vous-même

Vos insuccès, vos misères sont dues, neuf fois sur dix, non pas aux circonstances, mais à vous-même, c'est-à-dire aux fautes qui résultent de vos « points faibles », ou à l'impulsion de vos « points forts » non maîtrisés. Si vous n'êtes pas heureux et si vous ne réussissez pas, c'est parce que votre état psychique n'est pas harmonieux, que vous n'êtes pas équilibré.

Le développement de vous-même

Vous êtes responsable de tous vos actes, sinon présents, du moins passés, ce qui est la même chose. L'homme exécute aveuglément ce que lui dicte son inconscient, mais il peut volontairement éduquer son inconscient en prenant de bonnes habitudes. Il est donc primitivement responsable de ses actes.

Pour être maître des circonstances, il faut être maître des hommes. Pour être maître des hommes, il faut être maître de soi. Pour être maître de soi, il faut développer ses points faibles. Le développement de vous-même doit être le but essentiel de votre vie.

L'exemple des roses

Par quel procédé pouvez-vous vous cultiver, vous suréduquer ? Par l'évolution consciente et volontaire. Voici comment s'exprime Paul Nyssens :

« L'homme, pour créer, dans le règne animal ou végétal, une espèce répondant à ses besoins ou à ses désirs, met à profit la tendance de la nature à l'évolution. Par exemple, la rose sauvage, par un système de culture comportant une série de reproductions, devient, après sélection, la rose des jardins aux nuances merveilleuses et au parfum exquis. »

Cette transformation est basée sur l'observation des différences légères qui existent entre deux roses sauvages, suivant les conditions de terrain, d'humidité, etc., dans lesquelles elles se sont développées. L'homme se sert d'abord de l'observation, de son intuition, de son conscient et, plus tard, de l'exprérience acquise inconsciemment ; il choisira, pour la reproduction, une fleur dont les caractères lui paraissent les plus intéressants et les plus propres à se rapprocher du type qu'il désire réaliser. Parmi les roses ainsi sélectionnées, reproduites et cultivées soigneusement, dans des conditions favorables d'humidité, de température, de terrain, il fera une nouvelle sélection et se servira de plantes choisies. En continuant ainsi, de reproduction en reproduction, il écartera les plantes qui tendent à revenir au type primitif et conservera seulement pour la production les roses qui évoluent favorablement. C'est par ce procédé que de l'églantine est sortie la rose des jardins.

Vous pouvez évoluer

Les principes applicables à l'élevage animal sont les mêmes. Il faut sélectionner les individus pour la reproduction ; ainsi l'éleveur arrive, par une suite de transformations, en partant du cheval sauvage, à créer le pur-sang moderne.

Eh bien, l'être humain peut évoluer *consciemment* et atteindre un état de perfection inconscient qui lui assure la santé, le succès et le bonheur.

Si vous vous intéressez à cette étude, c'est que vous avez déjà subi l'influence d'une longue évolution (inconscient) et que vous êtes prêt à une évolution plus rapide et plus complète (conscient). La majorité des philosophes croient à l'immortalité de l'âme ; il en est quelques-uns qui admettent la réincarnation ; l'âme serait susceptible de se réincarner dans de nouveaux corps pour vivre plusieurs existences ; chaque existence nouvelle pourrait constituer une progression ou une régression, c'est-à-dire permettre au sujet de monter ou de reculer dans l'échelle humaine et sociale, suivant la discipline de sa vie. Nous n'avons pas à discuter ici cette hypothèse ; nous ne nous occupons que des *faits vérifiés par la science et par l'expérience* ; cet exemple fera comprendre au lecteur que l'être libre et responsable peut, par la volonté, faire subir à sa personnalité une ascension rapide du corps et de l'esprit, pour en jouir dès l'existence présente.

Nécessité de la culture totale

Si les mots de succès et de bonheur vous attirent, il ne faut pas que votre but unique soit de satisfaire vos appétits et votre ambition ; vous échoueriez dans cette entreprise. La culture de votre personne doit être totale. Il faut développer, concurremment, vos forces physiques, votre intelligence et vos facultés morales. Il faut non seulement chercher à « réussir », c'est-à-dire à gagner de l'argent et vous élever dans l'échelle sociale, mais aussi et surtout *accroître votre valeur morale.*

Évaluez vos points faibles

Pour pousser votre évolution, commencez par la connaissance de votre nature. Si vous avez l'habitude de vous analyser, si vous êtes déjà psychologue, vous vous connaîtrez peut-être vous-même. Il est plus sûr de demander l'analyse de vos aptitudes, tendances, qualités, à un psychologue de carrière qui vous dira quels sont vos *points forts* et *vos points faibles.* La comparaison que j'ai faite entre l'évolution personnelle et volontaire et l'élevage des animaux, la culture des plantes, va peut-être vous décourager. La progression sera trop lente, direz-vous. *Non* ; dans les organismes inférieurs, une série de naissances sont nécessaires et exigent une longue période pour atteindre une modification quelconque, mais il n'en est pas de même chez l'homme, qui, par l'observation de soi-même, peut évoluer volontairement et obtenir rapidement, au cours de son existence, la transformation mentale, physique et morale qu'il souhaite.

Rôle des cellules

Le corps humain est formé de cellules. Ces cellules meurent, s'éliminent et sont remplacées par d'autres. La vie est une série de fontes et de reconstructions. L'homme peut mettre à profit ces changements ininterrompus, pour améliorer toutes les parties du corps et spécialement son cerveau. Il peut changer le cours de ses pensées, de ses sentiments, développer certains centres cérébraux et arriver à les modifier. À son tour, le cerveau, contrôleur et reconstructeur du corps, réagira sur vos mouvements, vos attitudes, votre démarche, votre voix, vos fonctions vitales et vous transformera physiquement. Mais soyez prudent et patient, car il faut évoluer et non révolutionner ; il faut rester en harmonie avec vos semblables, avec votre milieu, avec vous-même.

Dans l'élevage et dans la culture évolutive des plantes, il ne faut jamais contrarier les lois de la nature, mais au contraire les diriger dans des sens déterminés. Vous faites partie d'un tout, vous devez étudier vos relations avec votre ambiance, ne pas aller à l'encontre des forces qui vous entourent. Il faut, au contraire, orienter vos efforts pour obliger ces forces à concourir à la réalisation de vos desseins. *Il faut savoir composer avec le courant.*

Orientez vos efforts

Procédez ainsi avec vos propres tendances. Ne cherchez pas à être ce que vous ne pouvez pas être. L'horticulteur ne transformera pas un oeillet en une rose ; un éleveur ne transformera pas un chat en lion. Vous-même, ne vous flattez pas de devenir un Napoléon, un Rubens, un Beethoven. Vous avez *votre* personnalité propre, distincte de celle de vos semblables. Elle est aussi intéressante, aussi grande, si vous savez la mettre en valeur. C'est dans le champ de vos propres capacités *potentielles* qu'il faut évoluer. Ce sont *vos* aptitudes innées qu'il faudra mettre en valeur ; ce sont *vos* talents congénitaux qu'il s'agit de développer. C'est *votre* caractère et *votre* personnalité, fruit d'ascendants lointains, que vous allez harmoniser, élargir et mettre en lumière. Vous allez tirer le meilleur parti possible de ces *dons héréditaires et ancestraux.* Être libre et responsable, vous allez devenir vous-même ou plutôt le *meilleur de vous-même.*

Votre évolution consciente comprend le développement de vos points faibles, qui entravent ou retardent votre succès matériel ou moral. Elle comprend la restriction de l'activité de vos facultés trop fortes, d'où dérivent vos passions et vos désirs ingouvernables. Ces instincts, votre raison les réprouve, car ils entravent votre ambition et vos projets les plus sages.

Si chez vous, *être libre et responsable*, la volonté, la force de caractère, ou la personnalité autonome est votre point faible, c'est ce point faible qui devra être l'objet d'une culture immédiate et poursuivie.

Taylorisez votre vie

Il existe en vous deux tendances, deux instincts sur lesquels vous devez fixer d'abord votre attention : *le premier* (subconscient) de ces instincts auxquels vous devez obéir est celui qui vous attache à la vie et qui vous en fait rechercher toutes les jouissances raisonnables, qui vous fait pourvoir à tous vos besoins matériels, en réduisant votre peine au minimum ; *le deuxième* (superconscient) est celui qui vous pousse vers l'idéal, vers le bien, le beau et le vrai.

Cet instinct, en apparence égoïste, suivez-le. Ne craignez pas d'être égoïste en lui obéissant, car, *bien comprise*, cette tendance augmentera vos forces physiques et mentales et vous rendra plus utile aux autres. Mais ne *perdez rien de vos forces*, taylorisez votre vie et, pour ne pas faire d'effort inutile, commencez par vous mettre en harmonie avec votre ambiance.

Aimez la vie telle qu'elle est

Voici comment vous réaliserez l'harmonie : aimez la vie telle qu'elle est, la société, le monde tels qu'ils sont. Votre vie vous paraîtra ainsi plus agréable. Ne prenez pas l'habitude de vous dénigrer vous-même, ni de critiquer qui que ce soit ; ne critiquez ni les personnes, ni les événements, ni votre pays, ni votre temps. Ne critiquez pas les gens qui nous gouvernent, malgré leurs lacunes et leurs défauts ; comparez chaque siècle avec le siècle précédent et vous reconnaîtrez que l'humanité est en progrès, grâce à quelques efforts individuels ; vous ne pouvez pas bouleverser le monde ni la société pour les rendre meilleurs ; mais vous pouvez donner un « coup d'épaule » à l'évolution de l'humanité. Dites-vous bien ceci : si dans les derniers 100 ans il y a des choses qui se sont améliorées sur l'ensemble de la planète, l'évolution sera encore plus complète dans 1000 ans, et elle ne sera point encore près de toucher à la perfection. Dites-vous bien d'ailleurs que, en dépit de la science actuelle et de vos connaissances en particulier, il ne vous est pas possible de juger les événements à leur valeur ; ils ont des « raisons d'être » cachées qui échappent à votre entendement, mais qui existent quand même ; ce n'est pas à vous de les apprécier. Avec cet état d'esprit, votre vie vous paraîtra plus agréable, votre attachement à la vie grandira. Vous travaillerez avec plus d'ardeur et de conviction à améliorer vos conditions d'existence, à *adapter* votre personnalité à l'existence, qui est bonne, puisque aucune personne normale ne veut la quitter.

Ensuite, réfléchissez que peut-être vous faites erreur, que vous ne voyez pas exactement la cause des phénomènes dits « facteurs ». Changez d'attitude et admirez au lieu de critiquer. Donnez votre attention à tout ce que, dans la nature, vous trouvez admirable ; admettez que tout, dans l'univers, est en harmonie et obéissez aux tendances que la nature a mises en vous.

Les facultés animales, qui sont destinées à entretenir la vie et à perpétuer la race, comportent, dans leur accomplissement, certains plaisirs, dont l'usage doit être normal et ne jamais dépasser la normale ; l'abus des plaisirs matériels constitue un suicide.

Développez vos qualités supérieures

Le *second* instinct sur lequel vous devez fixer votre attention est celui qui vous engage à faire usage de toutes vos facultés supérieures, qui vous pousse vers ce qui est noble, grand, généreux, beau, sublime. Si vous vous croyez inapte aux grands sentiments, si vous pensez être dépourvu d'aspirations, revenez sur votre passé et rappelez-vous les impressions que vous avez éprouvées quand vous avez été témoin d'un acte de dévouement, lorsque vous avez lu le récit d'un fait héroïque, lorsque vous avez contemplé un paysage grandiose, lorsque vous avez eu devant les yeux une belle oeuvre d'art, lorsque vous avez fait une bonne action. Dans toutes ces circonstances, vos facultés supérieures ont été mises en jeu et vous constaterez que vous aimez à vous remémorer ces émotions.

La tendance au bien

C'est cette tendance que vous devez développer pour votre bien personnel. Le développement de votre nature morale et de vos facultés supérieures vous aidera à stabiliser votre caractère, à faire régner l'unité dans votre mentalité et dans votre conduite. Le but suprême de votre vie doit être l'amélioration de vous-même. Il faut que vous l'ayez toujours devant les yeux ; vous songerez ainsi que les meilleurs parmi les êtres humains seront vos collaborateurs et vos associés. Vous êtes soutenu et aidé par l'élite de l'humanité.

Évolution progressive

Rappelez-vous que vous évoluez toujours, volontairement ou non, à mesure que les années s'écoulent ; vos dispositions, vos inclinations, vos goûts, votre caractère, vos capacités se modifient lentement, mais sûrement, sous l'influence de l'âge, des circonstances, de votre ambiance, de vos occupations, de vos actes, de vos pensées, de vos autosuggestions. Or, cette évolution peut être *régressive* au lieu d'être *progressive*, si vous cédez aux mauvaises influences, aux mauvaises suggestions. Voilà pourquoi je répète que, si vous voulez réussir et être heureux, votre culture doit être générale ; il faut chaque semaine, chaque mois, chaque année, vous rendre compte des progrès que vous avez réalisés.

Votre évolution se distingue de celle des animaux et des plantes par le fait que vous êtes à la fois l'élève et l'éleveur. S'il vous faut une direction, le concours d'un spécialiste de culture humaine vous sera utile, mais il ne vous sera vraiment utile que si ce cours éveille réellement votre intérêt, je dirai même votre enthousiasme.

Vous avez en vous tous les matériaux

Pour construire librement et consciemment une nouvelle personnalité, à l'aide de vos nouvelles idées acquises, vous avez en vous tous les matériaux ; vous êtes l'entrepreneur général, il vous faut l'architecte qui possède le plan d'ensemble. Cet architecte vous donnera les détails à mesure que vous en aurez besoin ; d'après le principe de la division du travail, il dirigera vos efforts, mais je vous répète que vous avez intérêt à accepter, provisoirement, ses indications, à les appliquer scrupuleusement sans émettre de jugements préconçus, jusqu'au moment où vous verrez sortir de terre le monument : alors vous pourrez vous assurer que ses fondations (inconscient) sont solides. Petit à petit, au fur et à mesure que la construction s'élèvera, vous vous rendrez compte de la grandeur, de la beauté et de l'utilité de l'édifice.

Deuxième partie

Culture physique

Santé et vitalité
peuvent s'acquérir.

Chapitre 4

De l'alimentation

Quand faut-il manger ?

Il faut manger quand on a faim et aux heures régulières des repas ; celui qui n'a pas faim doit s'abstenir de manger. Le seul apéritif, c'est le jeûne. Si vous restez sans appétit pendant 24, 48 heures, trois jours, n'hésitez pas à jeûner pendant ce temps, ou du moins contentez-vous d'absorber du bouillon de légumes, du jus de raisin, des fruits juteux. Méfiez-vous de la fausse faim créée par la routine : celui qui se lève le matin et qui croit éprouver la faim se fait illusion ; il n'est pas possible qu'une personne normale ait faim en se levant, si elle s'est alimentée la veille d'une façon normale. Celui qui mange le matin au réveil, et absorbe un véritable repas, a besoin de faire préalablement de l'exercice. L'homme doit faire trois repas par jour : un repas de fruits juteux le matin, un repas léger sans viande le soir et un repas plus copieux à midi. Il y a des personnes qui, après une sortie, le soir, vont manger. C'est une habitude déplorable, cause d'intoxication chronique. Il ne faut jamais prendre de collations. Le *jeûne* est un des moyens thérapeutiques les plus efficaces qui existent. Le jeûne n'altère pas la santé, il l'entretient et la conserve. Le jeûne fut inventé par toutes les religions dans un but d'hygiène, pour reposer les organes digestifs. Celui qui s'y soustrait commet une faute grave. Les personnes affaiblies qui s'efforcent de manger commettent une faute, car si la suralimentation est acceptable chez l'individu bien portant, elle est nuisible chez le sujet malade. Les malades doivent jeûner, plus que les sujets bien portants ; c'est pour eux que le jeûne a été inventé ; tout obèse doit jeûner. Pendant la période de jeûne, consommez de l'eau additionnée ou non de jus de raisin, du bouillon de légumes, des fruits juteux.

Le jeûne peut durer de un jour à un mois, suivant l'embonpoint du sujet.

Que faut-il manger ?

Au repas du matin, des fruits crus : noix, noisettes, amandes, poire, pomme, orange, banane, etc. Les fruits crus sont meilleurs que les fruits cuits, parce qu'ils renferment des vitamines. Si vous êtes obligé, en les faisant cuire, d'ajouter du sucre, c'est parce qu'ils sont de mauvaise qualité. Ils produiront de l'acidité gastrique. Choisissez des fruits mûrs et de bonne qualité. S'il n'y a pas de fruits frais, prenez des fruits secs : pruneaux, figues, etc., qui auront en même temps l'avantage de combattre la constipation. Gardez-vous de supprimer les pelures, grains, etc., ainsi que font certaines personnes. Ces déchets excitent l'intestin et combattent la constipation.

Le repas du soir doit être léger, si vous vous couchez très rapidement après. Il peut être substantiel, au contraire, si vous vous couchez à minuit. Ne mangez jamais de viande le soir. Par viande, j'entends aussi bien la charcuterie, le poisson, la volaille. Consommez des aliments qui non seulement produisent des calories, mais contiennent des sels minéraux. Ne cuisez pas les légumes à l'eau, mais à la vapeur. Le pain blanc ne nourrit pas. Mangez du pain complet (Heudebert). Ne jamais jeter l'eau de la cuisson des légumes, qui contient des sels minéraux.

Si vous mangez de la viande, du poisson, faites-le en faible quantité : la sobriété est de rigueur ici. Abstenez-vous de pâtés, conserves de viande ou de poisson, gibier faisandé, hors-d'oeuvres. Ne mangez ni trop ni trop peu. Simplifiez vos menus. Moins vous mélangez d'aliments différents dans le même repas, mieux cela vaudra.

Comment faut-il manger ?

Mangez très lentement : mastiquez avec soin, même les soupes, les bouillies, le lait. On y remédie en y ajoutant des croûtons de pain grillé dans les purées. Un aliment bien mastiqué est à moitié digéré. Il ne faut prendre aucun aliment excitant : peu de sel, jamais de poivre, moutarde, cornichons, pickles, etc. Le vinaigre est remplacé avantageusement par le citron. Il faut, pendant le repas, observer une humeur gaie, dire des choses amusantes à table, ne pas discuter. La bonne humeur, l'attitude souriante, cordiale, sont un tonique souverain pour l'appétit.

La boisson en dehors des repas

Buvez peu pendant les repas. Le vin est inutile, l'alcool toujours nuisible. Il vaut mieux s'abstenir de café (je conseille le café sans caféine au sujets nerveux), thé, chocolat. En tout cas, limitez-en l'usage. Absorbez de l'eau chaude ou froide par petites quantités à la fois, sous forme d'eau naturelle ou d'infusions. *Buvez-en en dehors des repas.* Si vous êtes dans une période de malaise ou de fatigue, supprimez les repas, remplacez-les par des boissons chaudes. Si vous jeûnez complètement, buvez par jour, deux, trois, quatre litres de tisane de pruneaux, de thé de pommes, de bouillon d'herbes, de citronnade, d'orangeade, etc. Vous laverez ainsi votre foie, vos reins, vos tissus et votre sang ; les poisons qui vous affaiblissent seront éliminés.

De la mastication

« *La bouche est le presse-purée donné par la nature* » (Monteuis).

La plupart des maladies viennent de fermentations intestinales. Les fermentations sont souvent dues à des troubles gastriques dus eux-mêmes à une mauvaise mastication. Mâchez donc avec une extrême lenteur, de façon à transformer tous les aliments solides en liquides. Si les aliments sont eux-mêmes liquides ou pâteux, absorbez-les par petites quantités pour les mêler intimement à la salive. La bouche est le seul organe digestif qui soit sous l'influence de la volonté ; profitez-en et, si vous mâchez bien, vous digérerez complètement.

La mastication lente présente encore l'avantage d'éduquer l'auto-contrôle ; elle vous entraîne à devenir calme et maître de vous-même ; elle offre donc non seulement un avantage physique, mais aussi un avantage moral. Vous verrez d'ailleurs à chaque instant que la rééducation physique et la rééducation morale vont de pair et ne peuvent être dissociées.

Soignez vos dents

Soignez bien vos dents. Si elles sont bonnes, voyez néanmoins le dentiste deux fois l'an ; faites les détartrer tous les six mois. Si elles laissent tant soi peu à désirer comme propreté, comme aspect, voyez de temps en temps le dentiste jusqu'à ce qu'elles soient revenues à l'état normal. Frottez-les vigoureusement, avec une brosse dure, de trois à cinq minutes, le matin et le soir, ou bien savonnez-les sur les deux faces avec votre index recouvert d'un linge fin. Les dents de vos enfants doivent être bien plantées ; sinon, faites-les redresser avec un appareil bien surveillé.

Jeûnez parfois

Comme je l'ai dit plus haut, le jeûne est le meilleur procédé de désintoxication qui existe. Le jeûne consiste à se priver d'aliments pendant vingt-quatre, quarante-huit heures et davantage. De cette façon, les toxines sont éliminées ; le tube digestif se repose ; le système vasculaire n'est plus fatigué par l'apport d'une nouvelle masse nutritive. Tout individu atteint d'une maladie aiguë doit jeûner. Le traitement de la plupart des maladies chroniques doit être précédé du jeûne. Chaque fois qu'on éprouve un malaise quelconque, il faut se mettre à la diète absolue, de façon à laisser l'organisme au repos. Personnellement, j'ai une grande expérience du jeûne, car je le conseille à tous mes futurs opérés. La plupart jeûnent de deux à huit jours ; les obèses vivent exclusivement d'eau ou d'oranges pendant quatre, six, huit semaines avant l'intervention chirurgicale. Pendant le jeûne, il faut boire ; absorbez des tisanes chaudes, légèrement sucrées : tisane de pruneaux, thé de pommes, bouillon d'herbes, etc. Les boissons chaudes peuvent être remplacées sans inconvénient par des fruits juteux crus de bonne qualité, à condition qu'ils soient parfaitement mâchés. La diète ne doit pas toujours être aussi rigoureuse ; elle peut consister simplement dans la suppression d'un ou deux repas par vingt-quatre heures. En principe, NE MANGEZ JAMAIS SI VOUS N'AVEZ PAS FAIM.

L'homme creuse sa tombe avec ses dents

Beaucoup de maladies sont causées par une alimentation défectueuse qui conduit à l'usage des excitants, à l'alcoolisme, au tabagisme, au carnivorisme, à la suralimentation. L'homme ne meurt pas, il se tue. L'homme creuse sa tombe avec ses dents. Si vos fonctions digestives sont normales, vous ne devez éprouver, après le repas, ni lourdeur, ni maux de tête, ni sensibilité au creux de l'estomac, ni tristesse, ni aigreurs, ni somnolence, ni surexcitation, ni sensation de gêne quelconque. Vous devez être à même d'effectuer n'importe quel travail physique ou mental. Pourtant, il est bon de ne pas effectuer un travail pénible immédiatement après avoir mangé. Votre coeur, vos poumons fonctionnent sans que vous éprouviez la moindre douleur et aucune gêne ; il doit en être de même de votre estomac.

Faites l'expérience suivante : après le repas, fléchissez le corps en avant, en touchant le sol du bout des doigts. Rejetez-le en arrière le plus possible, pressez fortement votre foie, c'est-à-dire la région du ventre. Si un de ces exercices vous gêne, c'est que votre digestion n'est pas ce qu'elle devrait être.

Mauvaises habitudes alimentaires

La plupart des gens, après un bon repas, n'éprouvent pas la sensation de réconfort que devrait leur procurer la récupération des forces perdues. Au contraire, il leur semble qu'il leur manque quelque chose. Cette inquiétude, cette sensation de besoin inassouvi résultent d'une excitation de l'estomac, qui les conduit à prendre de mauvaises habitudes alimentaires : sucreries, dessert, café, vin, liqueurs. Quand la langue est d'un blanc jaunâtre le matin, c'est que l'estomac ou l'intestin fonctionne mal. Si l'intestin est paresseux, vous le saurez en absorbant trois cuillerées à soupe de charbon végétal et en observant les matières fécales quelques heures plus tard ; si elle sont colorées en noir après 36 heures, c'est que l'intestin se vide trop lentement. Vous pouvez d'ailleurs faire faire, par un spécialiste, un examen radiographique de votre transit intestinal : vous verrez si votre instestin se vide bien ou mal. La *grande maladie* de notre siècle est la *constipation*. Il faut la combattre à tout prix par le régime, la culture, l'absorption d'huile de paraffine, d'agar-agar ou de bile de boeuf et l'évacuation après chaque repas.

Chapitre 5

De la respiration

L'oxygène, source de vie

La privation d'oxygène entraîne la mort... la mort par empoisonnement du sang. Respirer au grand air a pour résultat de faire pénétrer dans votre organisme une dose d'oxygène plus grande, qui détruit les poisons, purifie le sang, excite le système nerveux et augmente l'énergie vitale.

Apprenez à respirer

Pour *bien respirer,* il faut être de bonne humeur, optimiste et joyeux. Inversement, si vous respirez bien, vous acquerrez la bonne humeur, l'optimisme, la joie. La respiration purifie le sang par l'oxygène, elle expulse l'acide carbonique et en même temps *elle excite directement les glandes à sécrétions internes, qui assurent la santé.* Le poumon, glande à sécrétions internes, est en relation avec tous les organes de l'économie, et chaque fois que vous excitez votre poumon, vous excitez toutes les glandes, qui fonctionnent mieux ; votre vitalité s'accroît. Vous devez apprendre à respirer profondément et à expulser complètement l'air contenu dans les poumons. Dormez la fenêtre ouverte, ventilez les pièces, vivez le plus possible en plein air. Si vous avez une vie sédentaire, du fait de vos occupations, faites vos courses à pied, au pas accéléré, en respirant profondément par le nez. Si cette sur-respiration vous fatigue, si elle vous étourdit, tant mieux, cela prouve que la gymnastique respiratoire est efficace. Ces troubles légers disparaîtront rapidement. Les enfants paresseux respirent mal. Les sujets pâles respirent mal. Les hommes aux muscles affaiblis, à la poitrine étroite, à la figure émaciée, respirent mal. Ils respirent trop peu à la fois. Apprenez donc à respirer et vous vous transformerez physiquement et mentalement. La respiration combat aussi la constipation, elle facilite les digestions : par l'intermédiaire du diaphragme, elle réalise le massage des organes abdominaux, agit sur le foie, la sécrétion biliaire, l'intestin et le rein. Elle détruit les toxines et les résidus. La respiration fortifie les faibles et fait maigrir les gras.

La gymnastique respiratoire

La gymnastique respiratoire s'impose ; elle s'impose non seulement chez les anémiques, les convalescents et les constipés, mais chez tout le monde. Il faut que les parents et les éducateurs enseignent cet exercice aux enfants avec autant de foi et d'énergie qu'ils mettent à leur apprendre à lire et à écrire ; c'est plus important que l'instruction intellectuelle ; d'ailleurs, le rendement mental et moral dépendra souvent de la façon dont le sujet respirera et dont il videra son intestin.

Pour éduquer la respiration, plusieurs moyens sont utilisables ; tous doivent être employés.

Procédé classique

Devant une glace, le torse nu, la tête bien droite, le corps dans une position correcte, bien planté sur le sol, vous inspirez lentement par le nez, en portant les bras en croix et le plus possible en arrière ; vous maintenez l'inspiration immobile pendant quelques instants, puis vous expirez lentement par le nez, en ramenant les bras en avant ou sur les cuisses. Vous faites dix fois de suite ce mouvement. Cette gymnastique respiratoire est surtout à utiliser le matin et le soir, quand vous faites votre gymnastique.

Parmi les *sports* que vous choisissez, donnez la préférence à ceux qui développent la vigueur musculaire et nécessitent la respiration profonde : natation, ascension en montagne, course à pied, tennis, saut à la corde, etc.

Si un médecin vous ordonne le repos, faites, dans votre lit, la respiration profonde, faites des contractions musculaires.

Au fur et à mesure que la capacité thoracique s'accroît, vous vous rendrez compte que votre vitalité s'exalte, que vos fonctions se font mieux.

Procédés de sur-respiration

Comment s'entraîner à la sur-respiration :

Par le spiromètre. Faites usage du spiromètre ou d'une vessie de caoutchouc dans laquelle vous soufflerez pour la distendre au maximum. Chaque mouvement respiratoire doit se faire en quinze secondes environ, jamais moins. Il faut faire environ cent mouvements respiratoires par jour, en une, deux ou trois séances. Aspirez toujours par le nez.

Par les chiffres. Inspirez fortement par le nez, pour remplir les poumons d'air au maximum, en tenant le corps bien droit, puis comptez sans reprendre haleine jusqu'à dix, et expirez lentement et à fond.

Par l'arrêt respiratoire (apnée). Vous prenez une montre à secondes, vous inspirez l'air fortement par le nez, puis, regardant votre montre, vous observez combien de temps vous pouvez retenir votre respiration ; normalement, vous devez maintenir l'inspiration immobile pendant 45 ou 50 secondes, mais avec l'entraînement, vous arriverez facilement à la maintenir une minute et même davantage. Ce procédé est en même temps un moyen de contrôle : en général, plus un sujet maintient longtemps l'arrêt respiratoire, meilleure est sa santé, meilleure sa circulation.

Par la respiration ralentie. Vous prenez votre montre et vous tentez de ne faire qu'une respiration par minute ; ayant vidé les poumons à fond vous inspirez lentement, en observant la montre, de façon à inspirer la quantité maximum d'air en vingt secondes, puis vous maintenez, pendant vingt secondes, l'air inspiré et enfin, dans un troisième temps, vous expirez l'air contenu dans les poumons, en vingt secondes. Ce cycle respiratoire a donc duré soixante secondes. Si ce mouvement est trop ralenti au début, entraînez-vous progressivement jusqu'à atteindre cette durée.

Chapitre 6

Le côlon homicide

Le gros intestin, source d'intoxication

Metchnikof a démontré que la brièveté de la vie était due à l'intoxication chronique du gros intestin. L'homme porte, en effet, dans les dernières anses de son tube digestif, des milliards de microbes ; ceux-ci sécrètent des poisons, qui passent dans le sang et produisent une intoxication lente, sournoise, dont le terme est la maladie, la vieillesse et la mort. Le savant est arrivé à cette conclusion que, pour vivre longtemps, il faut supprimer le gros intestin ou stériliser son contenu par l'alimentation au lait caillé.

Depuis lors, les idées de Metchnikof ont passé du domaine de l'idéologie dans celui de la réalité. Il y a vingt ans, un chirurgien anglais, Sir Arbuthnot Lane, a supprimé le gros intestin et a obtenu, dans les cas graves d'intoxication d'origine intestinale, des résultats intéressants. J'ai quelquefois suivi son exemple en modifiant plus ou moins sa technique et mes résultats ont confirmé les siens. Mais il est nombre d'opérations plus bénignes et plus simples que l'ablation du côlon ; d'ailleurs la chirurgie ne convient qu'à des cas exceptionnels de constipation.

Stérilisation du gros intestin

Le lait caillé, ou *yaourt,* est devenu un aliment apprécié ; bon nombre de nos contemporains consomment leur pot de lait caillé, matin et soir, d'autres préfèrent avaler un bâton de levure de bière.

D'ailleurs, pour combattre les méfaits du gros intestin, il ne faut pas oublier qu'outre l'opération chirurgicale, il y a un moyen encore plus simple et efficace : l'évacuation complète, régulière et périodique.

Guelpa a démontré tous les bienfaits d'un purgatif bien administré. Il y a deux cents ans, les purges étaient en honneur, comme la saignée. Notre génération les a trop abandonnées. Si Guelpa les a remises en honneur, c'est en modifiant la façon de les appliquer. Il a démontré que, pour qu'un purgatif soit efficace, il fallait qu'il fût rare, abondant, brutal ; pendant la journée de la purgation, le purgé doit absorber des liquides chauds en grande quantité et s'abstenir totalement de manger.

Comme laxatif, l'huile minérale a été démontrée comme étant la plus utile ; elle n'a jamais nui à personne et peut être consommée indéfiniment, sans jamais produire de troubles ; l'huile minérale *sans addition de drogue, sans parfum, sans couleur, sans goût,* s'absorbe au milieu du repas, à la dose d'une cuillerée à soupe chez l'adulte et d'une cuillerée à café chez l'enfant.

La stérilisation de l'intestin par le *yaourt* ou la levure de bière, son évacuation régulière par l'huile minérale, ont constitué un progrès considérable dans la médecine de ces dernières années.

Dangers de la constipation droite

Le côlon présente trois directions, qui le font diviser en trois portions. Le côlon ascendant dans le flanc droit, le gauche dans le flanc gauche : il aboutit au rectum ; et enfin, le côlon transverse, intermédiaire aux deux précédents, et qui forme un V largement ouvert en haut.

Le gros intestin renferme des milliards de microbes ; quand ces microbes sont contenus dans les matières dures, quand celles-ci sont éliminées régulièrement, après avoir peu séjourné dans le côlon, leur présence comporte un minimum d'inconvénients. Mais si les matières sont évacuées incomplètement, si ce retard fait qu'elles refluent de plus en plus vers le côlon droit (ascendant), là où le contenu intestinal est liquide, alors la résorption des substances microbiennes et toxiques est active ; celles-ci passent dans l'organisme et produisent une foule de maladies et de malaises. Par conséquent, tant que le retard des matières se fait uniquement dans le côlon gauche (descendant), là où les matières sont sèches, il y a peu ou pas de malaises ; quand, au contraire, progressivement, la constipation gauche passe dans la partie droite du côlon (ascendant), les malaises apparaissent. La constipation devient dangereuse et peut être du ressort chirurgical.

S'il est nécessaire d'éviter ou de combattre la constipation gauche, c'est surtout pour prévenir la constipation droite, qui peut lui succéder.

Éducation de l'intestin

Pour prévenir la constipation et la combattre, il faut supprimer ses causes. Quelles sont donc ses causes ?... La cause première de la constipation est la mauvaise éducation de l'intestin. Le jour où le bébé est « réglé » par ses parents, il s'entraîne à la constipation ; l'enfant devrait aller aux toilettes quand bon lui semble, c'est-à-dire trois fois par jour environ. Dès que les parents veulent l'entraîner à la selle quotidienne, la constipation commence ; elle progresse le jour où l'enfant est bousculé avant de partir à l'école ; les parents prennent soin de lui faire absorber (trop rapidement) son déjeuner, mais ne pensent pas à lui faire vider son intestin, ce qui est plus important. Si, du moins, au lieu de lui faire avaler une tasse de café au lait ou de chocolat, ils lui donnaient des fruits crus, du *yaourt* ou un potage de farine complète, ils auraient au moins l'excuse de le désintoxiquer et de le nourrir ! À l'école, la jeune fille redoute d'entrer aux toilettes nauséabondes ou rares ; la maîtresse refuse de laisser l'élève aller aux toilettes, parce que l'on est au milieu d'une dictée, ce qui est absurde. En visite, l'enfant s'abstient d'aller aux toilettes même si « le coeur lui en dit » ; on attend plusieurs heures avant de se présenter aux toilettes, et ainsi s'accentue la paresse intestinale.

C'est une erreur de croire que l'évacuation uniquotidienne de l'intestin soit physiologique ; le sauvage vide son côlon plusieurs fois par jour ; il bénéficie du réflexe qui part de l'estomac dès que le repas est terminé. À ce réflexe il obéit immédiatement, puisqu'il n'est pas gêné par les conventions sociales et peut s'accroupir au milieu des bois.

Nécessité des vitamines et de la cellulose

Notre alimentation actuelle n'est guère naturelle. L'enfant et les gens faibles mangent de préférence des purées, sans mastiquer, sans insaliver ; ils avalent des bouillies ou du pain de farine blanche au lieu de manger du pain complet ; ils mangent des fruits cuits qui sont généralement de mauvaise qualité, au lieu de manger des fruits crus de très bonne qualité et de les mastiquer lentement en consommant leur pelure lavée. Ils mangent du riz décortiqué, c'est-à-dire des *aliments morts, sans vitamines et sans cellulose*. Or, pour entretenir la vigueur de l'intestin, il lui faut des vitamines et de la cellulose. La viande, les oeufs, le poisson, le lait, le sucre ne laissent dans l'intestin aucun résidu et n'excitent pas son muscle. Si l'intestin n'est pas excité, il s'atrophie, comme tout muscle qui ne se contracte plus, et c'est ainsi qu'il devient de jour en jour plus paresseux... Au contraire, la consommation du pain complet, des fruits crus, bien mûrs, des légumes verts crus ou cuits à la vapeur, donnent du déchet qui brosse et excite l'intestin.

Exercices physiques et sports

Les pédagogues négligent l'éducation du poumon autant que l'éducation du ventre. À l'école, la gymnastique occupe l'arrière-plan du programme parce qu'elle *fait perdre du temps*... (!) ; on néglige les sports parce que leur pratique comporte quelques difficultés ; cette négligence est aussi préjudiciable aux jeunes filles et aux femmes, auxquelles les sports de plein air conviennent autant et *même plus* qu'aux hommes. Une femme croit faire de l'exercice quand elle fait son ménage, des courses ou des visites. Non, madame, l'exercice doit être exécuté avec méthode ; il faut religieusement mettre sur pied le programme de votre vie physique, qui est aussi importante que votre vie familiale, professionnelle et sociale. Il est aussi utile d'organiser le sport et l'exercice physique que d'organiser votre maison et... vos distractions. Trouvez le temps nécessaire pour le footing, le tennis, le patinage, la course à pied, le saut à la corde ; le médecine-ball ne fait pas perdre de temps.

Plus de ventres déséquilibrés

Parents, organisez le sport de vos filles ; mesdemoiselles, sacrifiez la discothèque et faites du sport de plein air. Pendant vos vacances faites du camping. Une fois mariées, maîtresses de maison, prenez soin d'entretenir votre corps, comme vous l'avez entretenu pendant votre jeunesse, sinon vous vieillirez rapidement et votre bonheur conjugal s'envolera ; vous éviterez par cette organisation physique un grand nombre de maladies auxquelles vous condamnait la vie sédentaire ; c'est parce que vos mères et vos grand-mères ont négligé cette partie fondamentale de l'éducation, qu'il y a tant de ventres déséquilibrés, tant de femmes trop grasses, trop maigres ou débiles ; que de mères et de grand-mères devraient se frapper la poitrine pour avoir donné à leurs filles le mauvais exemple de la vie sédentaire, ou de l'agitation des visites et du lèche-vitrines !

Digression sur les microbes

Ce qui est dangereux dans le retard intestinal, c'est la masse de microbes qui constituent les matières. Le côlon contient des milliards de microbes. D'où viennent-ils ? Du nez, de la bouche. Toute maladie n'est pas nécessairement la conséquence de l'action microbienne. Pour qu'une maladie se produise, il faut : un terrain favorable ; des germes morbides. Deux individus avalent de l'eau contaminée par des bacilles typhiques. Si l'un est résistant et bien portant, il ne s'en portera ni mieux, ni plus mal ; si, au contraire, son voisin est fatigué, déprimé, il contractera la fièvre typhoïde. La prédisposition est donc essentielle ; elle est le résultat d'une mauvaise hygiène physique et morale. Toutefois, bien que nous soyons inégaux devant le microbe, il ne faut point abuser de cette immunité apparente ; si on vous inoculait à tous la peste, la lèpre ou quelque autre infection grave et virulente, il est vraisemblable que vous seriez tous atteints par ces redoutables maladies, car leur virulence est exceptionnellement grande. En principe, ne craignez pas le microbe, mais ne le méprisez pas ; ne le tentez jamais. Je connais des *microphobes* convaincus qui seraient capables de faire stériliser leurs assiettes et leurs fourchettes, qui n'osent pas serrer la main d'un ami sans se laver ensuite les doigts au sublimé. J'en connais qui se brossent les dents dix fois par jour (au lieu de deux fois), de peur d'avaler des germes de l'air.

Hygiène et propreté

Rappelez-vous que les microbes entrent par le nez et la bouche ; barrez-leur la route par une toilette complète au lever et surtout au coucher, par le lavage des mains et de la face, par la désinfection du nez, au moyen de tampons gras (huile goménolée), par le savonnage des dents.

Au moment des repas, lavez vos prunes, votre raisin, ne vous mettez pas à table sans avoir lavé vos mains ; veillez à ce que les enfants aient les ongles coupés ras. Apprenez à vos enfants à ne jamais consommer d'aliments exposés à la poussière et aux mouches ; les mouches sont les animaux les plus dangereux de notre pays ; elles transportent les germes morbides sur la tétine des biberons et sur les aliments ; tant qu'on conservera des animaux dans le voisinage des maisons, tant que les fermiers étaleront leur fumier à la porte des fermes, tant que les gens n'auront pas de boîtes à ordures hermétiquement closes, qu'ils ne couvriront pas pendant l'été les aliments de cloches en toile métallique, les mouches continueront leurs ravages et sèmeront les maladies et la mort. L'insecticide est efficace, mais incommode nombre de gens par son odeur.

La suppression de la barbe chez l'homme et le port des cheveux courts chez les femmes ont constitué un *progrès hygiénique.* Faites votre toilette le soir. Lavez-vous les dents et la figure avant de vous coucher, graissez vos narines avec une huile antiseptique.

Ne mangez rien sans vous être lavé les mains, rasez les ongles des enfants et, de ce fait, la quantité de microbes introduite dans le tube digestif sera considérablement diminuée.

Chapitre 7

Phénomènes d'intoxication intestinale

Accidents nerveux

Les sujets atteints d'intoxication d'origine intestinale sont fatigués, sans entrain ; les uns sont paresseux, déprimés ; les autres, au contraire, excités ; les uns somnolents, les autres atteints d'insomnie et incapables de trouver un bon sommeil sans cauchemar. L'effort intellectuel et physique leur est pénible.

Pensez à la constipation droite chez les personnes qui se plaignent de paresse, de migraines, de névralgies intercostales, de sciatique, de douleurs faciales, mammaires. Le sang chargé de poisons intestinaux imprègne les nerfs et gêne la fonction du système nerveux.

Il y a dix ans, un jeune homme me fut envoyé avec le diagnostic de tumeur cérébrale ; les douleurs de tête étaient atroces ; il réclamait la trépanation à tout prix ; la radiographie de l'intestin montra de la constipation droite, qui devait être la cause de ses névralgies. Le malade fut opéré pour sa constipation et ses douleurs de tête disparurent.

La plupart des sujets intoxiqués intestinaux sont tristes, malheureux ; ils se lèvent fatigués, découragés, et ne connaissent pas la *joie de vivre.*

Tous ces malades ainsi intoxiqués chroniquement sont catalogués hystériques, nerveux, neurasthéniques, névrophates ; c'est pour le médecin et la famille un bon moyen de rejeter sur le malade toute la responsabilité de ses misères. « Tu vois bien que c'est nerveux », dit la mère à sa fille... « Tu vois bien que tu n'es pas malade », dit l'épouse agacée à son mari découragé... Et dire que si les parents avaient fait radioscoper le tube digestif de leurs enfants, le diagnostic aurait été posé et l'enfant aurait été guéri ! Le bonheur d'une famille mérite bien une radiographie et un litre de paraffine.

Troubles de la peau

Les intoxiqués intestinaux ont la peau bistrée, surtout au niveau des plis de flexion des membres, à la base du cou, à la face postérieure des bras. La peau paraît sale, mal lavée ; la sueur est malodorante. On observe de l'acné ; les poils poussent là où il ne faut pas et ne poussent pas là où il faut. Les cheveux tombent d'une façon précoce et, par contre, un duvet abondant se montre sur les joues, les avants-bras, la face postérieure du bras, à tel point que certaines femmes ne veulent pas porter de manches courtes. Un grand nombre de maladies de peau : eczéma, démangeaisons ne connaissent pas d'autres causes.

La graisse du corps fond, les membres s'amaigrissent, les formes et les contours du corps deviennent anguleux ; la peau trop flasque se flétrit d'une façon précoce, ce qui provoque la vieillesse prématurée.

Troubles digestifs

Les intoxiqués intestinaux n'ont pas le goût de manger, pas plus qu'ils ont le goût de vivre et d'agir ; leur langue est chargée, leur haleine fétide, la bouche mauvaise et amère ; tous les apéritifs sont sans action ; les digestions sont lentes ; les repas pèsent sur l'estomac. Les médecins prononcent les mots de dyspepsie, d'appendicite chronique et d'entérite, et ces malades passent entre les mains d'un chirurgien qui leur enlève l'appendice, fixe l'estomac ou la matrice et tout cela sans résultat. Ils vont chez le bandagiste, qui met une ceinture, puis une pelote, sans amener d'amélioration à la statique du ventre.

Troubles de la circulation

Les intoxiqués sont frileux ; le nez, les oreilles, les mains, les pieds sont froids. Les engelures sont fréquentes. Ces malades soi-disant anémiques ou arthritiques aiment le temps chaud, les hautes altitudes et se trouvent mal du séjour au bord de la mer, des saisons froides ; ils accusent souvent des palpitations de coeur, l'haleine est courte pendant la marche rapide.

Atrophie musculaire

Le système musculaire est faible ; les muscles s'amollissent et les sujets adorent s'allonger ; le dos est voûté ; on voit apparaître la scoliose chez les jeunes filles, les pieds plats, le genu valgum chez les garçons. La ptose ou chute des viscères oblige les malades à porter un corset ou une ceinture.

Lésions des seins

Quand une femme se plaint de douleurs ou de tumeurs du côté du sein, pensez à faire une radioscopie du tube digestif. La plupart du temps, les lésions du sein sont d'origine intestinale. Il suffit que l'intestin se vide régulièrement pour que le sein devienne normal. J'ai constaté que, chez les femmes atteintes d'un cancer du sein, huit fois sur dix, il y avait un retard dans l'évacuation intestinale. Si on les avait prévenues de ce détail dix ou quinze ans auparavant, elles n'auraient jamais eu ni tumeur du sein, ni cancer.

Troubles glandulaires

Les poisons que charrie le sang altèrent les glandes et spécialement les seins, la glande thyroïde, les ovaires, toutes les endocrines, etc. Un grand nombre de femmes sont forcées, à chaque période menstruelle, de rester couchées pendant quelques jours ou quelques heures. Bon nombre d'entre elles n'ont pas d'enfants ; d'autres subissent des opérations qui ne les améliorent pas.

Troubles articulaires

Souvent les intoxiqués intestinaux sont atteints de rhumatisme chronique, de douleurs articulaires, de déformations des jointures. Un grand nombre d'enfants soignés pour la tuberculose des os, des ganglions et des jointures ont de la constipation droite et si celle-ci avait été supprimée, leurs infirmités n'auraient point existé.

Insuffisance respiratoire

L'intoxication intestinale supprime le besoin et l'énergie de respirer à fond. L'insuffisance de la respiration, à son tour, nuit au fonctionnement de l'intestin. La plupart des sujets atteints d'intoxication intestinale ont le teint pâle ou bistré, la figure allongée, la poitrine étroite, le dos voûté, la bouche ouverte : on leur a gratté les adénoïdes, enlevé les cornets, sans aucun bénéfice fonctionnel. Tout adulte normal doit expirer au moins trois litres à chaque respiration volontaire. Mesurez donc le pouvoir respiratoire des êtres auxquels vous vous intéressez, au moyen des quatre exercices suivants ;

1° Remplissez d'eau une bouteille de trois litres, renversez-la sur une cuvette pleine d'eau de façon que le goulot soit immergé ; soufflez dans le goulot avec un tube de caoutchouc. Vous devez vider la bouteille en une seule expiration.

2° Inspirez à fond par le nez, puis expirez en comptant jusqu'à 60.

3° Prenez votre montre, aspirez à fond et expirez sans reprendre votre haleine pendant 45 secondes.

4° Soufflez une bougie à 1 m 25.

Si on se donnait la peine d'apprendre à respirer aux intoxiqués, il est vraisemblable que l'oxygène de l'air introduit en grande quantité dans l'organisme stimulerait l'intestin et ferait disparaître une partie des troubles.

Chapitre 8

Traitement de l'intoxication intestinale

Soins sans résultats

Le nombre d'intoxiqués intestinaux méconnus et étiquetés des diagnostics les plus fantaisistes est considérable. On les soigne pour arthritisme, neurasthénie, anémie, dyspepsie, entérite, salpingite, métrite, stérilité, etc. ; les chirurgiens les opèrent — sans résultat — pour rein mobile, appendicite, déviation de la matrice, ovaires kystiques. Chez les orthopédistes, ils sont soignés pour déformation de la colonne vertébrale et pieds plats. Les bandagistes essaient sur eux tous les modèles de sangles et ceintures. Les dentistes les soignent pour suppuration des gencives.

Les oto-rhino-laryngologistes leur enlèvent les amygdales, les adénoïdes. Les spécialistes pour maladies de la peau soignent les démangeaisons, la chute des cheveux, l'exagération des poils, la sueur malodorante, les engelures. Les spécialistes du système nerveux les traitent pour neurasthénie, névropathie, hystérie, etc.

Ces « empoisonnés » courent ainsi, toute leur vie, après la santé, essaient tous les remèdes et meurent finalement de tuberculose, d'artériosclérose ou de cancer !

Intoxiqués sans le savoir

Comment savez-vous que tous ces mécontents de la vie portent dans l'intestin la cause de leurs misères ? *Par les rayons X et par l'examen bactériologique des selles.* « Mais, direz-vous, je n'ai pas besoin de rayons X pour savoir si je vide mon intestin ou non, pourvu que je sois régulier... » Vous vous trompez ; votre régularité peut n'être qu'apparente. Mettez un seau sous un robinet ouvert ; il sera toujours plein, bien que l'eau déborde constamment. Seuls les rayons X font connaître la vérité et il faut quatre ou cinq examens radioscopiques successifs (un toutes les douze heures).

Alimentation rationnelle

Pain complet, farine complète, légumes cuits à la vapeur, mastication lente, fruits crus et très mûrs, salade crue, soupe au potiron, raisin, pruneaux, figues, etc., voilà les moyens d'exciter l'intestin, de donner du déchet et de faire glisser les résidus de la digestion vers la porte de sortie.

Hygiène et paraffine

Mieux vaut prévenir que guérir. Comment peut-on éviter l'empoisonnement intestinal ? D'abord par l'hygiène. Dès la naissance, ne pas rechercher à « régler » l'intestin de l'enfant, mais le laisser fonctionner comme cela lui plaît. Ne cédez pas au préjugé de la visite uni-quotidienne aux toilettes ; habituez-le à une visite bi ou tri-quotidienne. De même qu'il faut se laver les dents matin et soir, il faut créer l'habitude d'aller aux toilettes deux fois par jour après les repas.

Si la moindre tendance au retard intestinal est remarquée, recourir *à l'huile minérale*, par cuillerée à café pour l'enfant, par cuillerée à soupe pour l'adulte. Il faut absorber cette huile minérale *au milieu* du repas ; il faut en continuer l'usage indéfiniment ; c'est sans inconvénient, puisque la vaseline ne s'absorbe pas. Il n'y a pas plus d'inconvénient à avaler une cuillerée à soupe d'huile minérale qu'à avaler de la graine de lin ou d'agar-agar, produits également inoffensifs et inabsorbables.

Gymnastique abdominale

Recourir aux moyens physiques : massages, gymnastique abdominale ; parmi les exercices de gymnastique, il en est deux dont l'action est particulièrement efficace : ce sont le médecine-ball et la reptation.

Allongez-vous sur le ventre, les pieds soulevés du sol, les mains placées aux côtés du corps ou derrière la nuque. Puis, dans cette position, avancez progressivement autour de votre chambre, rien que par les mouvements des muscles de l'abdomen. Pour les enfants ou jeunes *affaiblis ou nerveux*, la meilleure gymnastique est la « rythmique ».

Flexions et torsions

Pratiquez, régulièrement, la *gymnastique abdominale*, de la façon suivante : étendu dur le dos, par terre, les bras croisés sur la poitrine, asseyez-vous lentement, sans bouger les jambes ; pratiquez ce mouvement vingt fois de suite, matin et soir ; au début, il sera peut-être nécessaire que vous caliez vos pieds sous un objet lourd (lit, armoire...).

Placé toujours sur le dos, relevez les cuisses sans plier les genoux, et amenez les jambes vers la tête ; les jambes doivent rester verticales. Les abaisser ensuite lentement jusqu'au sol et toujours sans plier les genoux.

Debout, les mains derrière la nuque, portez le plus possible les coudes en arrière et faites des mouvements de rotation du tronc, puis d'inclinaison à droite et à gauche.

La reptation

Ce mouvement est le plus utile, mais le plus fatigant. Non seulement il constitue une gymnastique abdominale parfaite, mais il réalise le massage du ventre. L'idéal serait d'être nu ou en costume de bain sur une plage de sable, mais comme 99 fois sur 100 ces conditions ne sont pas réalisées, il suffit de se coucher à plat ventre, sur le parquet, en relevant fortement la tête en arrière, de façon à ne pas respirer les poussières du sol ; d'ailleurs, pour éviter cet inconvénient, on peut protéger le nez et la bouche par une bande de toile fixée derrière les oreilles à l'aide d'un cordon élastique ; l'air inspiré sera alors tamisé. Donc, couché à plat ventre, les mains derrière la nuque ou croisées derrière le dos, les pieds soulevés, sans plier les genoux, le corps ayant la forme d'un arc de cercle qui repose par son sommet sur le sol, avancez en vous inclinant à droite, puis à gauche, « roulez » comme un bateau par le mauvais temps. Pratiquez cet exercice cinq minutes, matin et soir.

Sports de plein air

S'il est difficile d'obtenir d'une personne, en général, qu'elle fasse de l'exercice, c'est encore plus difficile à obtenir d'un intellectuel. Si c'est difficile à obtenir d'un homme, c'est encore plus difficile à obtenir d'une femme. Hommes et femmes préfèrent la lecture, la musique, le billard, les cartes, le cinéma, les visites, le lèche-vitrines au footing, à la bicyclette ou au médecine-ball.

Il faut pourtant que le travailleur intellectuel ou sédentaire sache organiser son repos et son hygiène avec autant de soin que son travail quotidien ; je dirai : avec plus de soin, d'abord parce que rien n'est plus important que la santé et ensuite parce que pour un intellectuel ou un sédentaire, l'exercice physique demande beaucoup plus d'effort que le travail et la distraction mentale.

Psychothérapie

Ne parlez jamais de vos misères à qui que ce soit, même pas à vous-même. Dites-vous et dites aux autres : je vais très bien. À force de le répéter, vous le sentirez. Vous connaissez l'influence de l'esprit sur le corps. *L'autosuggestion* est indispensable à la cure des maladies chroniques.

Conseils aux parents

Veillez sur les mains de vos enfants. Organisez la culture physique et les sports de toute votre maisonnée. Sachez que la partie de pêche ou de chasse n'est pas un exercice violent suffisant pour vous maintenir jeunes et vigoureux. Mettez sur la table un flacon de paraffine, que vous verserez dans les verres des convives à l'humeur désagréable ; vous pourrez, en effet, supposer que les gens désagréables sont empoisonnés par leur côlon !

Si des troubles surviennent dans votre santé, si ces troubles prouvent que l'intoxication intestinale existe (maux de tête, anémie, insomnie, état nerveux, dépression générale, amaigrissement, douleurs au ventre, entérite, troubles digestifs, troubles de peau, troubles menstruels), que faire ?

Faire exécuter une série de radioscopies (quatre ou cinq examens successifs à 12 heures d'intervalle). S'il y a simplement de la constipation gauche (9 cas sur 10), suivre les règles d'hygiène que je viens d'indiquer ; avec de la patience et de la persévérance, le succès est quasi certain ; s'il y a constipation droite (1 cas sur 10), commencez encore par l'hygiène et par le traitement physique ; si cela ne réussit pas ou si l'intestin est allongé (dolichocôlon), recourez à la chirurgie.

Prévenez la constipation chez vos enfants par la régularité intestinale, par l'alimentation rationnelle, le sport de plein air et l'exercice. Tant que la constipation est à gauche, elle doit guérir rien que par le sport, la gymnastique, le massage, l'huile minérale et l'alimentation. Si la constipation est à droite et si vous savez bien la soigner, vous avez encore 8 ou 9 chances sur 10 de la guérir, sans avoir recours à l'opération. Il n'y a donc qu'un cas sur cent de constipés à opérer.

Règles applicables aux tempéraments

L'exercice doit avoir pour effet de développer les membres faibles et d'équilibrer le tempérament. Chaque tempérament va de pair avec un groupe prédominant de facultés cérébrales et chaque groupe de facultés a son influence sur la localisation des activités musculaires. Par exemple, la combativité développe les muscles des bras et des épaules. La personne dont le tempérament est combatif est portée à faire des exercices des bras et du thorax. Quand elle ne se livre pas à un sport ou à un travail manuel, elle se sert néanmoins de ses bras, les croise sur sa poitrine, fait des gestes, serre les poings, etc.

La fermeté développe les muscles des jambes.

L'estime de soi développe les muscles qui tiennent la tête et le corps droits et la poitrine déployée.

Les activités modérées, faciles, agréables, variées, récréatives, semblables aux jeux d'enfants, développent le tempérament vital. Les personnes douées de ce tempérament aiment une promenade à la campagne par un beau soleil, une température douce, dans un pays charmant, avec de bons compagnons. Les sports, c'est-à-dire les activités rapides, intenses, intermittentes, de courte durée, entrecoupées de périodes de détente musculaire, développent le tempérament moteur.

Les êtres humains peuvent être divisés en positifs et négatifs, ou en passionnés et en passifs. Les personnes impulsives, ardentes, actives, appartiennent au type passionné. Elles devront suivre un régime calmant. Les personnes négatives, passives, indifférentes, indolentes, engourdies, ont besoin de s'entraîner aux sports, aux exercices actifs, énergiques, et aux lotions froides. Il faut proportionner l'intensité et la durée de l'exercice à la santé, à la vigueur du sujet. D'ailleurs, l'exercice énergique est recommandable aux êtres jeunes, sains et vigoureux. L'exercice modéré est à conseiller aux personnes mûres, de force moyenne, l'exercice léger aux personnes faibles ou âgées.

Comment savez-vous qu'un exercice n'est pas trop énergique pour vous ? Comptez les battements de votre coeur ; si les battements du coeur, par seconde, ne reviennent pas à un rythme normal, après une période de repos de 20 minutes, c'est que l'exercice est trop violent.

Faites alors la gymnastique dans la position couchée.

Chapitre 9

Hygiène matinale

Le lever

Le réveil sera toujours matinal : 8 heures de sommeil — 8 heures de travail — 8 heures pour le reste. La meilleure heure du coucher est 21 ou 22 heures ; celle du lever, 5 à 6 heures. Les heures de repos avant minuit comptent double, les heures de travail avant 8 heures comptent double également.

Le bain d'eau

L'hygiène commande à toute personne de commencer sa journée par le triple bain matinal. Choisissez d'abord un de ces procédés : un grand bain chaud ; une lotion, une douche ou l'application d'une serviette mouillée ou plus simplement l'application de la main mouillée sur la peau de chaque partie du corps isolément (un bol d'eau suffit) ; l'essentiel est d'appliquer l'eau sur la surface de la peau. Mouillez la peau de tout le corps, depuis les pieds jusqu'à la tête, puis essuyez-vous fortement, séchez-vous au moyen de frictions violentes et terminez par un massage.

Le bain d'air

Restez nu pendant vos exercices et votre toilette, la fenêtre ouverte, en toutes saisons. Si vous craignez les regards du dehors, accrochez un drap à votre fenêtre. Si vous êtes à la campagne, faites vos exercices en plein air, abrité par une tente sans toit avec quatre bâtons tenant quatre carrés de toile.

Le bain intérieur

Dès votre réveil, buvez, à petites gorgées, un grand verre d'eau, et restez couché pendant quelques instants. Puis commencez votre gymnastique de l'abdomen et du diaphragme.

Le massage

Le massage général est utile, non seulement aux malades, mais aux personnes bien portantes. Les Romains en faisaient un usage très large pour éliminer les toxines qu'ils absorbaient dans leurs excès alimentaires. Ils avaient le désir de maintenir la beauté physique du corps et la vigueur nécessaire aux sports et à l'athlétisme. Le massage a l'avantage d'entretenir la vitalité, de détruire les poisons, de conserver la vigueur des tissus et des muscles ; il aide au fonctionnement des reins, des poumons et de tous les organes émonctoires de l'économie ; il active la circulation.

Pour les sujets faibles, la visite quotidienne chez un masseur, qui pétrit les muscles et les tissus pendant une heure, est un bien primordial ; pour les êtres sains, le masseur serait également un luxe bienfaisant ; mais, comme ce luxe n'est pas à la portée de tous, il convient de savoir pratiquer le massage soi-même.

Ce massage est très simple : il consiste à pincer la peau de tout le corps (comme on pétrit du pain), pour exciter les tissus. Ce pincement général de la peau et des tissus pendant cinq ou six minutes assure l'élimination des toxines. Il est préférable de faire ces massages soi-même, car c'est un excellent exercice au réveil.

Rôle de l'air et de la lumière

La peau est un organe dont le fonctionnement est aussi important que celui du rein et du foie. Dès que les lotions sont terminées, il importe de s'essuyer avec soin des pieds à la tête, puis frictionner avec une serviette ou un gant de crin jusqu'à ce que la peau devienne rouge. Cette séance demande environ cinq minutes. Le fonctionnement de la peau est tellement essentiel, son contact avec l'air et la lumière joue un rôle physique d'une telle importance, qu'il faudra le plus possible éviter les vêtements imperméables et les vêtements noirs. Les vêtements imperméables préservent du froid, mais on peut aussi bien s'en garantir avec un tricot de laine blanche.

Une objection qui m'est souvent faite est celle du deuil : le deuil peut se porter, dans bien des circonstances, autrement qu'en costume noir ; un crêpe au bras suffit quelquefois ; les enfants peuvent être vêtus d'étoffe blanche. D'ailleurs, la façon de procéder importe peu ; je suis obligé d'indiquer le fait tel qu'il est : à chacun de s'y adapter de son mieux.

Des frictions

Pour les frictions, je recommande une extrême propreté ; ne jamais frictionner le corps sans s'être auparavant lavé les mains avec de l'eau et du savon ; la main, en passant sur la peau sèche, arrache les poils et risque d'inoculer leurs insertions et c'est ainsi qu'on voit apparaître de l'acné ou des furoncles, si les mains sont sales. Dans les établissements naturistes, ou végétariens, on a observé parfois des épidémies de furoncles ; les végétariens s'imaginaient qu'il s'agissait là d'un exutoire, de l'élimination des toxines organiques par la peau : c'est une grossière erreur. C'est simplement la preuve de la saleté des mains. Quelques personnes aiment à se frictionner avec de l'alcool, de l'eau de Cologne : ne vous en servez que pour les mains, car l'alcool, étant très volatil, est absorbé par les poumons.

Ordre à suivre

Voici dans quel ordre seront réparties les différentes phases du lever : absorption de l'eau, pendant qu'on demeure au lit, gymnastique du diaphragme, massage abdominal ; gymnastique debout, lotions, frictions, massage, puis repos de cinq à dix minutes. Ce repos complémentaire vous entraîne à prendre l'habitude de ne pas vous presser. La devise de la santé et du bonheur doit être : « *Jamais pressé, jamais préoccupé* » ; il faut donc commencer la journée sans hâte.

Le petit déjeuner

Quand les exercices seront terminés, et alors seulement, on pourra s'alimenter. C'est une très mauvaise habitude de manger au lit. De plus, il ne faut jamais manger sans avoir faim ; celui qui n'a pas faim doit se priver de manger, se contenter de boire un verre d'eau en attendant midi. Le petit déjeuner se compose généralement de café, ce qui est indigeste et peu nourrissant. Le repas idéal du matin doit être un repas de fruits en toutes saisons : fruits crus de préférence et sans sucre, additionnés ou non de pain complet ou tout au moins de pain à 85 %. Le pain blanc ne nourrit pas ; quand il est frais, il est difficile à digérer ; c'est le pain gris dit « complet » (Heudebert), dont il faut faire usage.

Santé et entrain

La culture physique donne la santé, l'entrain, la sensation de bien-être. Elle procure un meilleur rendement dans le travail de la journée et surtout développe la volonté. Chaque fois que nous devons nous lever tôt, imposer à notre peau le contact de l'air et de l'eau froide, faire travailler nos muscles par la gymnastique, même quand nous sommes fatigués, chaque fois que nous nous massons nous-mêmes, nous éduquons la volonté. Or, ces efforts successifs développent la zone motrice du cerveau.

Culture physique et volonté

La surface de notre cerveau est décomposable en plusieurs zones différentes ; chaque zone de circonvolution correspond à un ordre d'actes mentaux déterminés. La zone mentale est destinée à la pensée ; la *zone motrice* aux actions (volonté, etc.).

Plus nous faisons usage des fonctions correspondantes à ces zones, plus celles-ci se développent ; plus vous parlez, plus vous développez la circonvolution du langage ; plus vous comptez, plus l'intelligence des chiffres s'accroît ; plus vous *voulez*, plus votre volonté se développe ; or, plus grande est la puissance de la volonté, plus la personnalité s'accentue, plus elle devient importante.

Comment développer la zone motrice du cerveau ? Vous la développerez en la congestionnant, c'est-à-dire en la mettant en action constamment. Tout ce que vous ferez sciemment et volontairement dans l'ordre physique développera cette zone motrice autant et plus que ce que vous ferez dans l'ordre moral et mental. Donc, si vous savez vous astreindre à la pratique régulière du « triple bain matinal » en toutes saisons, surtout si vous êtes fatigué, vous développerez votre zone motrice et vous ferez l'éducation de la volonté.

Tout bonheur se paie d'un sacrifice : si ce sacrifice est volontaire, il est plus facile et le bénéfice est plus grand. Aidez-vous de l'autosuggestion et le sacrifice sera doux. Voulez-vous comparer les ennuis d'un régime alimentaire bien suivi à ceux que provoqueraient, chez vous, la goutte, l'eczéma ou l'artériosclérose ?

La culture physique développe donc la force de l'individu dans le domaine physique et dans le domaine moral ; l'habitude des actes réglés et volontaires éduque la volonté et l'énergie : elle réalise la maîtrise de soi et la maîtrise des autres.

Ayez confiance

Les conseils physiques et moraux que je puis vous donner ne peuvent réussir qu'à une condition : la foi dans le résultat. Notre cerveau commande sciemment ou inconsciemment à tous nos organes : les mouvements du coeur, les fonctions du poumon, du tube digestif, la nutrition générale se trouvent sous la dépendance de notre esprit inconscient. Par conséquent, *chaque fois que nous sommes découragés, que nous ne croyons plus à la santé, que nous nous plaignons d'un trouble quelconque, notre esprit subconscient donne à notre organisme des ordres néfastes qui entretiennent nos malaises et même nos lésions.* Ne parlez donc jamais de votre mauvaise santé ; ne vous plaignez pas de vos troubles physiques ; ne dites pas que vous souffrez. Ayez la certitude que l'hygiène bien comprise doit vous donner la santé. Si vous appliquez ces principes, vous vous mettez dans les conditions voulues pour guérir ; *votre cerveau, par la foi que vous avez dans le succès, commandera à vos fonctions de s'accomplir normalement.*

Troisième partie

Culture psychique et morale

Élève ton âme.

Chapitre 10

Commence par faire la conquête de toi-même si tu veux conquérir le monde

À la conquête du monde

Que signifie *conquérir le monde ?* Conquérir le monde signifie acquérir une bonne renommée, l'indépendance, l'influence sociale, le talent professionnel, et finalement la richesse, la santé et le bonheur. Ces biens désirables peuvent être acquis en majorité ou en totalité par qui *veut* les posséder.

Que désirez-vous ?... Être heureux. Que faut-il pour être heureux ?... La santé, le succès et la joie d'être utile aux autres. Comment aurez-vous la santé ?... En respectant les règles d'hygiène physique et mentale, en pratiquant la culture physique. Pourquoi réussirez-vous dans la vie ?... Parce que vous posséderez les *qualités sociales* ou pouvoir attractif.

Qualités attractives

Ce sont les qualités d'ordre et de méthode ; les *sentiments positifs* : optimisme, confiance en soi, bienveillance, enthousiasme ; les *qualités pratiques* : sens des valeurs, logique qui crée l'efficience ; les *qualités morales* : amour du bien, du beau, du vrai, combativité, fermeté, solidarité, charité ; les *qualités professionnelles,* développées par l'application, la concentration et la persévérance.

Les *connaissances professionnelles.* Elles doivent non seulement être développées, mais être supérieures à celles des autres ; elles s'acquièrent par l'ordre, la ponctualité et la recherche du « toujours mieux ».

Jugement, conscience, solidarité, combativité, persévérance. La personne qui possède ces qualités, réussit infailliblement et acquiert une situation importante.

Elles existent en vous

Est-il possible d'acquérir ou de développer ces qualités ?... Oui.

Si vous étiez mal doué, si vous apparteniez au groupe des tarés ou des déséquilibrés, la rééducation de soi serait pour vous sans intérêt. Mais si vous lisez cette leçon, c'est que toutes les qualités nécessaires à la réalisation de votre idéal existent en vous ; vous êtes déjà un esprit sélectionné et *bon* pour la culture humaine.

Culture psychique

Ne confondez pas la *culture humaine ou psychique* avec la culture au sens d'instruction. Ces deux méthodes n'ont pas le même but : culture et instruction ne sont pas la même chose. Vous dites : « Tel homme n'a pas réussi, et pourtant il est instruit, cultivé ; c'est un ex-polytechnicien ou normalien. Il possède deux ou trois licences, parle cinq ou six langues ; il est pourtant cultivé ! » C'est exact, mais cette culture n'est pas celle que vous devez ambitionner. Les connaissances que vous signalez sont estimables et augmentent les chances de réussir, mais elles ne suffisent pas. Personnellement, je connais des gens pourvus de plusieurs diplômes ou qui ont acquis une certaine valeur dans une branche de l'art ou de la science ; mais ils sont restés des bohèmes et traînent une existence misérable. Pourquoi ?... Parce qu'ils ne sont pas cultivés au sens « culture humaine », c'est-à-dire au sens pratique. Ils ne sont point équilibrés ; ils n'ont pas cultivé d'une façon normale *toutes* leurs facultés. Ces intellectuels ne sont point des *gens pratiques* ; ils ne savent pas appliquer leurs facultés en vue d'un meilleur rendement.

Utilité des cours de rééducation

Si un psychologue ou un psychanalyste les avait pris en main et avait canalisé leur énergie, leur intelligence, ils auraient obtenu un rendement magnifique.

Voilà pourquoi les cours de rééducation sont un bienfait social. Si chacun les suivait, vous verriez disparaître les incapables, les aigris, les ratés, dont vous êtes entouré. La vie sociale serait modifiée ; chacun serait content de son sort.

Réalisez votre moi

Que vous faut-il donc pour réussir ? Réalisez votre *vrai moi,* votre moi idéal. Je m'explique : prenez deux personnages différents ; l'un intelligent, doué d'un esprit vif et orienté vers la vie pratique, et l'autre inintelligent, taré par une mauvaise hérédité. Ce dernier est l'exception. Si vous demandiez à cet être inculte : « Que désirez-vous sur terre ?... » il répondrait : « Prendre au voisin ses richesses, bien manger, bien boire, bien dormir, m'amuser... rien de plus. » En répondant ainsi, il ne penserait pas aux conséquences fâcheuses de cet état de choses, état qui le conduirait fatalement à la ruine, au désoeuvrement, à l'ennui, à la maladie et à une mort précoce. Nous ne nous occupons pas de ces êtres inférieurs, car nos efforts méritent de s'appliquer à ceux qui ont le besoin du perfectionnement.

Et votre idéal

Toute personne intelligente — et tous ceux qui lisent ces notes sont intelligents — exprimera ainsi son but : « Mon idéal, c'est d'être un être bon, utile, estimé, jouissant d'une influence sociale étendue, capable de bien parler, de bien écrire, de réfléchir, de juger et d'exécuter toute décision, car ce sont les qualités indispensables pour être utile et *réussir.* »

Concentrez votre pensée sur une idée force

Voilà votre but, n'est-ce pas ?... Eh bien ! vous pouvez le réaliser. Si vous avez conçu ce projet, vous possédez certainement à l'état latent les qualités qu'il faut acquérir ; vous possédez en germe toutes les aptitudes nécessaires à la réalisation de ce but ; il suffit de les développer. Comment les développerez-vous ?... D'abord par la *concentration.* Comment prendrez-vous l'habitude de la concentration ?... Par la maîtrise de l'esprit. Vous devez établir un programme qui réalise vos désirs. Ce programme, il faudra l'examiner avec concentration, pour vous rendre compte de ses détails et des moyens de les réaliser. Il faudra que vous appreniez à « réfléchir », c'est-à-dire à contrôler vos pensées, pour fixer l'attention sur une idée, pour l'y fixer aussi longtemps qu'il sera nécessaire à la solution du problème.

L'idée pousse à l'action

Le programme devra ensuite être exécuté sans défaillance ; vous le réaliserez dès que vous aurez acquis le contrôle de vos actions. C'est ce que vous appelez la volonté. Par la réflexion, vous verrez clair dans votre jeu, vous établirez votre plan, vous éclaircirez vos idées. Du jour où vous aurez acquis spontanément ou par autosuggestion volontaire une idée forte, puissante, elle éveillera un sentiment, une émotion, qui se manifesteront par l'entrain, l'enthousiasme. L'intelligence est toujours intimement unie au sentiment. Vous serez poussé vers l'exécution par l'intensité du désir, vous serez poussé par la puissance de la pensée, que vous croyez être la « volonté ». En réalité, la volonté est un mot, *rien qu'un mot.* C'est le processus qui fait passer l'idée à la réalisation, par un désir intense, par un sentiment violent de réussir ; *car c'est le sentiment qui vous dirige et non pas la volonté ni la raison.*

L'homme est ce que sont ses pensées

Si le souci, l'inquiétude, le découragement, l'envie apparaissent en vous, éliminez-les systématiquement et fixez l'attention sur un autre sujet qui vous absorbe et vous intéresse ; vous développerez ainsi le contrôle de vos pensées ; arrêtez vos pensées vides et vagabondes, qui sont dépourvues de force et d'action. Vous êtes ce que sont vos pensées et vos sentiments. Par sentiments, j'entends désirs, appétits, passions. L'homme, en effet, est à la fois une intelligence et un être affectif, doué de volonté. Je dis « volonté » pour indiquer la faculté des réalisations, mais en réalité c'est l'intelligence et le sentiment qui font agir. Ce sont les *idées forces* et les sentiments puissants qui naissent de ces idées qui nous poussent à l'action. Apprenez donc à chasser les pensées pénibles (inquiétude, soucis, envie). Si vous êtes dans un accès d'humeur noire, essayez de prendre l'attitude gaie et joyeuse, votre état d'âme changera. Prenez un livre imprégné d'optimisme et de vaillance ; vous lisez machinalement au début, mais si vous faites un effort pour fixer votre attention sur cette lecture, peu à peu le cours de vos pensées changera, vos sentiments suivront vos pensées ; le calme reviendra comme le soleil apparaît entre les nuages.

La volonté au service de la pensée

Les sentiments poussent à l'action. Pour faire naître les sentiments, il faut provoquer des pensées et les contrôler par l'autosuggestion. Par l'entraînement progressif, par la répétition de vos efforts mentaux, vous acquerrez ainsi les sentiments que vous désirez éprouver et vous agirez comme vous le devez.

De cette façon, vous rendrez votre jugement lucide, vous deviendrez maître de vous-même, vous acquerrez l'autocontrôle.

L'esprit qui se concentre pense intelligemment ; s'il pense intelligemment, il développe ses facultés de décision et de réalisation.

La volonté est l'expression de l'idée motrice, efficace. La volonté ne détermine pas la nature des pensées, mais reste au service de la pensée intelligente. La pensée provoque des désirs qui sont suivis d'action. Il faut contrôler vos sentiments et vos pensées. Si vous observez et surtout si vous signalez les défauts de ceux qui vous entourent, cette mauvaise habitude, dite « malveillance », crée autour de vous l'antipathie. Laissez donc cette manie de critiquer et de montrer les défauts d'autrui. Entraînez-vous volontairement à ne rechercher, chez les autres, que ce qu'il y a de bon. De cette façon, de malveillant que vous êtes, vous devenez bienveillant ! Aidez-vous par des *autosuggestions.* Nous verrons plus loin comment la volonté s'éduque par le moyen de l'autosuggestion.

Chapitre 11

L'équilibre mental

Les deux canotiers

Nous avons précédemment comparé la vie à un fleuve.

Considérez deux canotiers qui descendent ce fleuve ; l'un dépourvu de rames et de gouvernail, l'autre muni de ces instruments. Celui-ci dirige correctement sa barque et atteint l'embouchure du fleuve dans le minimum de temps, avec le minimum d'efforts. L'autre, au contraire, avance lentement, suivant l'action du courant et du vent, qui le font osciller sans cesse d'une berge à l'autre.

Pour avoir le sort du bon canotier, il faut se procurer une paire de rames et savoir s'en servir ; il faut acquérir le contrôle de soi : ne pas se laisser ballotter par les suggestions extérieures et intérieures.

Soyez maître de votre sensibilité

La joie, le plaisir, la crainte, l'angoisse, l'envie, la jalousie ne doivent pas modifier la sérénité de votre esprit, retarder vos actions et les rendre inefficaces. Pour atteindre un bon résultat, il faut que vous soyez maître de votre sensibilité, il faut que vous soyez pondéré, équilibré. Pendant votre vie scolaire, vos professeurs ont eu la tâche de développer votre intelligence et d'orner votre mémoire ; c'était bien. Vos parents se sont efforcés de former votre volonté, c'est encore mieux. Mais ni les uns ni les autres ne se sont chargés d'éduquer votre sensibilité.

Les gens sans frein

Une sensibilité non contrôlée est la cause de malheurs, de soucis ; elle laisse se dresser sur votre route des obstacles qui, à chaque pas, vous arrêtent ; des forces étrangères vous poussent à droite, à gauche, ou vous culbutent dans le fossé. Pour éviter ces « malheurs », il faut être doué de pondération ; c'est elle qui représente, dans votre esprit, les freins et le compteur de vitesse d'une automobile. Grâce aux freins, vous évitez les obstacles aux tournants dangereux, aux cassis, aux passages à niveau ; grâce au compteur de vitesse, vous établissez une bonne moyenne sans fatiguer votre voiture ; vous différez ainsi du « chauffard » qui fait « rendre le maximum » à sa voiture, saute les cassis, arrive dans les virages sans ralentir, risque de déraper, de culbuter ou de se briser sur l'obstacle. Les gens sans frein et sans compteur, je les ai qualifiés d'écorchés vifs, car ils sont hypersensibles ; tous les événements laissent dans leur âme une impression vive et éveillent des réactions exagérées : joie, colère, envie, emballement, jalousie, inquiétude, angoisse, impatience, désespoir, sont des parasites qui sucent leur énergie et écartent de leur route la santé, le succès et le bonheur.

Équilibrez votre tempérament

Pour arrêter vos réactions, détruisez ces parasites moraux, équilibrez votre tempérament ; développez en vous la pondération. Commencez par prendre l'habitude d'agir immédiatement ; dès qu'une action est décidée, elle doit être sans retard exécutée. Pour vous aider à cette réalisation immédiate, développez l'enthousiasme. La pondération représente le volant d'une machine à vapeur ; celui-ci maintient le mouvement en équilibre ; il empêche toute diminution ou augmentation instantanée de vitesse, quelles que soient les variations qui se produisent dans la compression du moteur. Le volant et le régulateur d'une machine à vapeur équilibrent la force. Le régulateur permet à l'organisme de consommer exactement l'énergie nécessaire au mouvement voulu. Les facultés mentales qui jouent un rôle analogue au volant et au régulateur doivent être développées. Elle réalisent la pondération.

La pondération

La personne équilibrée, pondérée, dépensera son énergie d'une façon égale et régulière ; elle ne sera jamais sujette à aucune variation brusque. Son enthousiasme ne correspondra pas à 15 kilos de pression à un moment et à un kilo le jour suivant. Elle ne sera pas exubérante et optimiste dans une heure, découragée et abattue dans deux heures. La pondération la mettra à l'abri des fluctuations morales. Si votre enthousiasme correspond à une pression de 10 kilos, la pondération vous permettra de faire décroître graduellement cette pression quand la détente et le repos seront nécessaires. La même pondération vous permettra d'avoir une notable réserve d'énergie, que vous utiliserez au premier besoin. Si un événement imprévu fait appel, soudain, à un afflux plus important d'énergie, grâce à votre pondération, à la réserve qu'elle ménage, vous serez prêt au moment donné à fournir un surcroît de force et à accomplir une tâche imprévue aussi aisément que si aucun effort supplémentaire ne vous avait été demandé.

La possession de soi-même

La pondération fait que l'homme est toujours lui-même. Elle permet de faire face à toute circonstance et aux situations adverses, avec calme, assurance et triomphe. L'homme pondéré ne hait pas aujourd'hui la personne qu'il aimait hier. Il n'est pas bienveillant le matin et irrité le soir. Il ne se met jamais en colère. Il n'est jamais inquiet. La pondération implique le calme, la possession de soi-même, la confiance en soi, l'auto-contrôle. Celui qui est pondéré n'est pas dominé par son ambiance, mais il la gouverne et l'influence.

Une suggestion essentielle

Entraînez-vous à la pondération en répétant cette suggestion : « J'ai dans ma vie un but unique ; ce but c'est mon amélioration physique, intellectuelle, sociale, morale. » Cette suggestion constante est la base sur laquelle vous devez construire. Il n'est pas possible d'être pondéré si deux buts différents vous sollicitent. Ce but, qui doit être l'amélioration de soi-même, synthétise tous vos intérêts. Cette suggestion vous donne le calme et vous aide à la pondération. Vous ne pouvez viser votre triple développement physique, intellectuel, moral, sans être l'esclave de votre conscience. Si vous suivez les conseils de votre conscience en toute occasion, vous ne serez jamais inquiet ni agité ; si vous faites toujours un programme avant d'agir, vous ne serez jamais submergé par des occupations imprévues. Ne vous laissez pas aller au moindre mouvement d'humeur ; opposez l'indifférence et le calme aux mille contrariétés qui surviennent et aux sources d'où elles émanent. Faites toujours votre devoir.

Autres suggestions

Si une contrariété survient, répétez : « Petit malheur » ou « Cela m'est égal ». Si une situation irritante se présente, dites : « Tout ira bien, tout se tasse, tout s'arrange. » Ne vous laissez pas envahir par la panique quand vous êtes accablé par des adversaires plus forts que vous. Conservez le calme et le sourire, alors que vos adversaires s'attendent à vous voir abattu et découragé. Ce sera déjà votre premier triomphe sur eux, quand vous pourrez vous dire vous-même : « J'aurai mon tour, j'aurai mon heure. » Ne cherchez pas à vous venger, mais cherchez, après la défaite, à vous relever vite et bien. Vous y arriverez fatalement si vous en avez l'idée fixe.

Si vous devez battre en retraite, faites-le en bon ordre. Vos adversaires, sans se l'avouer, admireront votre calme et votre énergie. Ils comprendront que votre volonté est basée sur le droit et le bien. Répétez cette autosuggestion : « Dans toute circonstance fâcheuse, je tire parti de tout pour amener des résultats heureux », ou encore : « Je suis pondéré ; j'utilise toute influence pour développer en moi le calme et l'équilibre mental ; j'ai le contrôle complet de moi-même. » Votre esprit subconscient agit d'après ce qu'il croit. Faites-lui croire votre affirmation et utilisez ses services. En l'espace de quelques semaines, vous constaterez que, par ce procédé, vous serez plus pondéré dans vos pensées, dans vos sentiments, dans vos paroles, dans vos actes.

La pondération, synthèse des facultés

Vous allez me dire peut-être : « Mais quel est le centre cérébral auquel correspond la pondération ?... Quel est le moyen de développer cette faculté ?... » Eh bien, la pondération n'est pas une faculté, c'est une synthèse de facultés ; je vais vous aider à identifier, à dissocier chacune des facultés nécessaires à l'éclosion de la pondération ; vous les développerez ainsi individuellement.

La continuité

La première faculté qui forme la pondération, c'est la *continuité.* Son rôle correspond à celui du volant dans la machine à vapeur. Cette faculté tend à faire durer, à prolonger, à continuer l'activité des autres centres cérébraux. Elle évite ou réduit les arrêts brusques, les départs soudains, les changements rapides, sans transition de vitesse ou de direction. Pour la développer, il faut que vous preniez l'habitude de ne pas commencer une action sans être décidé à la continuer et à la finir. Par exemple, vous tentez de résoudre un problème, vous devez le finir ; vous commencez la lecture d'un livre, vous devez le lire jusqu'au bout ; si vous commencez à étudier une leçon, fixez d'avance sa durée, vingt minutes par exemple ; terminez-la exactement à la vingtième minute. Si vous dites : « Je ferai dix minutes de gymnastique », faites-les et non pas neuf, ni onze.

La conscienciosité

La deuxième faculté élémentaire qui fait la pondération est la *conscienciosité.* Cette faculté attire l'attention de l'esprit sur les règles, les préceptes et les lois. Par exemple, vous dites : « Avant de me coucher, je dois mettre ma chambre en ordre. » Voilà une loi. En l'appliquant régulièrement, vous devenez consciencieux. « Je dois coller les timbres sur une enveloppe exactement en haut et à droite. Je dois manger lentement à table. Je dois m'abstenir de vin, d'alcool, de poivre, de moutarde ; ces condiments irritent mon estomac et excitent mon système nerveux. Il ne faut pas prendre de café ni de viande le soir. Il ne faut jamais prendre de collations. » La personne qui a la conscienciosité développée n'enfreindra jamais ces règles si elle les a reconnues exactes.

L'ordre

Ensuite, vient l'*ordre.* Observez-le dans votre esprit, dans l'espace et dans le temps. Une place pour chaque chose et chaque chose à sa place ; un acte pour chaque moment du jour. Répétez cette autosuggestion : « Je ne ferai jamais un travail sans en avoir fixé le programme auparavant ; j'organise ma journée heure par heure. Exemple : je veux préparer mon voyage pour demain. J'écris sur un papier : *a)* faire ma valise ; *b)* aller chercher mon billet ; *c)* télégraphier à mon ami pour avoir rendez-vous ; *d)* retenir ma place, etc. » Vous suivez ponctuellement ce programme et vous faites de même au début de chaque action.

La secrétivité

La *secrétivité* est cette faculté qui vous permet de cacher vos pensées, vos sentiments, vos intentions. C'est le frein sur la langue. Vous ne devez dire aux autres que ce que vous voulez dire ; tournez votre langue sept fois avant de parler. Ne dites que ce que vous voulez dire, mais dites tout ce que vous voulez dire.

La circonspection

Cette tendance psychique est souvent nuisible, car elle est le centre de la crainte et de la peur ; elle est trop développée chez la majorité des humains puisqu'elle les rend timorés, lâches, poltrons, puisqu'elle provoque l'*inaction,* la panique. Mais quand cette faculté est normale, elle rend l'homme prudent. La secrétivité pose un frein sur la langue et la circonspection un frein sur les mouvements ; c'est elle qui force à réfléchir avant d'agir, mais elle ne doit pas empêcher d'agir rapidement et avec enthousiasme. La personne secrétive ne parle pas sans avoir réfléchi à ce qu'elle devrait dire ; la personne circonspecte, réfléchit, sait d'avance ce qu'elle devra faire ; elle ne fera que ce qui est décidé.

L'estime de soi

La plupart des gens sont trop circonspects, trop indécis, trop timorés ; ils sont aussi trop approbatifs, c'est-à-dire qu'ils n'ont pas assez d'estime de soi, tiennent trop compte des qu'en-dira-t-on. Vous ne devez vous soucier nullement de ce que les autres pensent de vous, pourvu que vous ayez l'estime de vous-même.

L'approbativité

L'approbativité est le centre sensible à la louange et au blâme. Plus l'approbativité est forte en proportion de l'estime de soi, plus vous êtes sensible à l'appréciation des autres. Cette hypersensibilité vous conduit à l'angoisse, au désarroi mental. La personne très approbative est une écorchée dominée par ses nerfs. Son jugement perd aussi sa lucidité. L'antidote de l'approbativité, c'est l'estime de soi. Faculté rare. L'approbateur ne tient compte que de l'estime des autres ; celui qui possède l'estime de soi ne tient compte que de son appréciation personnelle. Il faut développer considérablement l'estime de soi. C'est la faculté qui contrôle les nerfs. C'est elle qui équilibre, stabilise les mouvements, évite et réduit les hauts et les bas. Elle conserve et épargne la force nerveuse. Pour développer en vous l'estime de soi, répétez cette suggestion : « J'agis toujours pour le mieux, j'agis toujours selon ma conscience ; dans ces conditions, je suis content et fier de moi. » Ne confondez pas l'estime de soi avec l'orgueil, la vanité, qui dépendent de la faculté contraire, l'approbativité.

La fermeté

La *fermeté* rappelle votre attention sur vos résolutions, vos décisions et le but que vous vous êtes assigné. Une personne douée de fermeté forte et de continuité faible varie d'un instant à l'autre, mais elle revient toujours à ses résolutions, à la ligne de conduite qu'elle s'est tracée. Une personne qui a la fermeté faible et la continuité forte sera plus stable d'un moment à l'autre. Elle variera plus lentement, elle pourra changer d'année en année, de mois en mois ; elle aura moins de stabilité. Il vous faut acquérir la fermeté et la continuité.

La vénération

La *vénération* est la tendance à obéir et à s'incliner ; c'est elle qui vous permet de vous adapter à toute circonstance imprévue. La vénération produit la résignation instantanée, non pas une résignation passive de faible et de timide, mais une résignation active, qui éveille en vous cette pensée : « Pour l'instant, je m'adapte et vais tirer de cette situation le meilleur parti possible. Quand je reprendrai le dessus, je ferai alors ce que je voudrai. » Celui qui pratique la vénération s'évite des révoltes inutiles ; sa voie est unie, égale. La vénération et la conscienciosité sont les facultés que la religion enseigne.

En résumé, réfléchissez ; recherchez quelles sont vos facultés faibles et décidez de développer ces points faibles.

Chapitre 12

L'harmonie

Soyez en harmonie avec tous et tout

À chaque instant vous vous écriez : « Quel mauvais temps ! Quelle saison lamentable ! Quel pays froid ! Il n'y a plus de saisons, plus d'hiver, plus d'été ! » Ne dites pas de mal des phénomènes cosmiques, car vous ne les comprenez pas. Peut-être agissent-ils au mieux de vos intérêts. D'ailleurs, vous ne pouvez pas les modifier.

Vous devez, de plus, vous mettre en harmonie avec vous-même, avec les gens, avec les choses, ne jamais vous plaindre, ne jamais dire du mal de personne, des choses, des événements, ni de vous-même. Ce n'est pas aux autres à s'adapter à vous, c'est à vous de vous adapter à eux. Pour réaliser cette adaptation, il faudra faire un effort constant, ne pas vous laisser aller à vos impulsions, à vos réflexes, mais faire preuve de calme, de patience. Ce sera le moyen d'atteindre la tranquillité, la paix, qualités qui permettent de dominer les événements, les choses et les hommes. Vous n'êtes pas un individu sur terre, vous n'êtes qu'une molécule du grand tout. Vous avez été mis sur cette planète pour jouer un rôle dans l'harmonie de ce grand tout ; vous n'êtes qu'un instrument qui a sa partie à jouer dans le concert universel. Si vous voulez être un maître et dominer, commencez par vous harmoniser avec tout et tous.

Adaptez-vous au milieu

L'existence est impossible à un être qui n'est pas en harmonie avec son milieu. Si un lièvre blanc parcourait les champs, il n'atteindrait pas la fin de la journée sans être tué. Si votre chien était placé au Pôle ou à l'Équateur, il succomberait dans les vingt-quatre heures. Pourquoi ?... Parce qu'il ne se trouverait pas en harmonie avec les conditions climatiques. La loi de la survivance des mieux adaptés est la preuve de ce fait. Dans l'espèce humain, les déséquilibrés ne laissent pas de descendance, ou leurs rejetons, mal armés pour l'existence, sont destinés à une extinction rapide.

Si la saison est mauvaise, adaptez-vous à elle, par votre costume et vos occupations. Si la journée est maussade, employez-la néanmoins le mieux possible, soyez en harmonie avec les événements.

La sagesse le commande

Les *croyants* admettent que Dieu a bien fait tout ce qu'il a fait. Si vous êtes incroyant, ce que vous pouvez faire de mieux pour la paix de votre âme, pour votre tranquillité, votre bonheur, votre succès, c'est encore d'adopter, à l'égard de la *nature,* l'attitude du croyant sincère.

Pouvez-vous transformer le monde et l'adapter à vous ?... Non. N'est-il pas alors plus sage, plus simple, de vous adapter vous-même au monde ?... Mieux vous vous y adapterez, plus vous influencerez le monde et les hommes, parce que vous aurez conquis votre place. Quand vous aurez conquis cette place, vous jouerez votre rôle et deviendrez un foyer d'influence ; vous irradierez. Votre pensée, votre volonté, vos actes seront fructueux.

Donnez-vous la peine de réfléchir

Ne croyez pas que vous vivez en harmonie, si vous cédez à vos réflexes, si vous suivez vos instincts sans les régler !

Il vous faut réfléchir, méditer, délibérer avec vous-même avant d'agir.

Je connais des propriétaires d'automobiles qui se servent quotidiennement de leur voiture et en font usage aussi longtemps que la machine marche régulièrement. De temps en temps une panne survient et ils éprouvent mille ennuis pour ramener leur voiture au fonctionnement normal. D'autres, au contraire, n'ont jamais d'avarie, leur machine fonctionne régulièrement. Pourquoi ?... Parce qu'ils la surveillent constamment. Parce que, deux fois par semaine, leur mécanicien ou eux-mêmes se donnent la peine de vérifier les freins, le carburateur, l'état des bougies, des soupapes, etc. La machine ne subit ainsi ni accident, ni panne. Si vous agissez par vous-même d'une façon automatique, chaque jour, sans jamais vous donner la peine de réfléchir sur le fonctionnement de votre machine morale ou physique, vous aurez des accidents, des tourments, qui troubleront votre sécurité. Si, au contraire, vous vous donnez la peine de méditer pendant un quart d'heure, en présence d'une difficulté quelconque, vous découvrez les causes de vos ennuis et vous les prévenez. Méditez chaque jour pendant cinq minutes, même si tout va régulièrement, méditez surtout si vous apercevez une cause de souci ; vous supprimerez ainsi la cause des troubles qui vous tourmentent.

Soyez en harmonie avec les gens

Le monde qui vous entoure vous paraît peu sympathique ; vous parlez à un inférieur d'un ton brutal ; vous êtes d'une grande platitude avec un supérieur ; dans votre famille, vous répandez votre mauvaise humeur sur votre conjoint et vos enfants. Voilà une habitude fâcheuse, qui détruit l'harmonie. La dysharmonie vous rend antipathique et nuit à votre succès autant qu'à votre bonheur.

« Mais, direz-vous, quand je suis chez moi, si ma famille fait des bêtises, il faut pourtant bien que je signale les fautes commises... » Oui, redressez les torts, mais faites-le seul, de personne à personne, n'humiliez pas vos enfants ou votre conjoint. Parlez-leur posément, avec calme ; vous vous en ferez ainsi des collaborateurs, des alliés. Vous créerez l'harmonie entre vous et eux.

Le défaut d'harmonie

Le chef d'orcheste congédie le violoniste qui ne sait pas accorder son instrument et exécute mal sa partie. C'est le défaut d'harmonie qui fait les guerres et les révolutions, c'est le défaut d'harmonie qui crée le divorce. Les raisons que fournissent les gens pour expliquer ces troubles et dénoncer les responsabilités sont de simples excuses. En réalité, deux peuples qui se battent n'ont pas su vivre en harmonie. Ils ont tort tous les deux. Dans le commerce, deux concurrents sont maîtres de la situation quand ils s'allient ; ils perdent leur temps et leur argent s'ils luttent l'un contre l'autre.

Il y a mille moyens de se mettre en harmonie

Cherchez à construire et non à détruire. Ne cherchez pas les fautes des autres, voyez leurs qualités, cherchez les réformes à faire sans vous soucier des fautes commises. Ne regardez pas en arrière, ne regrettez pas ce qui est fait.

Il y a de multiples moyens de se mettre en harmonie avec les autres. Plaisez par votre extérieur, votre parole, votre voix, votre attitude, qui créent la sympathie et attirent vers vous. Soignez votre habillement. Si vous avez un habillement ultra-chic, vous concrétisez une ridicule gravure de mode. Il faut vous vêtir simplement, mais avec un goût parfait.

Surveillez vos paroles

Veillez sur vos paroles. Cessez de vous vanter et de bluffer. Soignez vos gestes, vos manières, portez des vêtements impeccables, soignez vos ongles. Que votre attitude et votre démarche soient distinguées. Soignez le timbre de votre voix, parlez lentement, distinctement. Cherchez les intonations agréables. Ne dites du mal ni de vous-même, ni des autres, ni des événements. Cherchez, au contraire, des paroles bienfaisantes, consolatrices et calmantes. Pour devenir bienveillant et bon, considérez systématiquement le bon côté des autres. Cherchez et vous trouverez quelque mérite chez les plus déshérités des êtres humains. Plus vous considérerez les bonnes qualités de chacun, plus vous serez bienveillant à son égard, plus il sera disposé à vous écouter, à vous apprécier, à vous aider, à vous suivre. Vous verrez régner l'harmonie autour de vous et en vous.

Recherchez les causes de vos insuccès

Recherchez, dans vos occupations quotidiennes, s'il y a, dans votre vie, des défauts, des causes d'insuccès, des imperfections. Recherchez, dans votre profession, si votre compétence est parfaite, si vous ne pourriez pas faire mieux. Pour expliquer votre médiocrité dans la réussite, n'accusez pas la concurrence, la cherté des matières premières, les intermédiaires, l'insuffisance de votre capital. Ce qui manque, c'est votre génie. Tâchez donc d'acquérir les qualités mentales nécessaires, vous trouverez facilement ce qui vous fait défaut. Alors vous éliminerez ces causes d'insuccès, qu'elles soient d'ordre interne ou externe. Vous les découvrirez pendant le quart d'heure quotidien où vous méditerez ; vous analyserez alors vos occupations une par une ; vous trouverez désormais le moyen de mettre en harmonie vos meilleures aptitudes personnelles avec vos connaissances et vos talents antérieurement acquis.

Soignez votre voix

Rendez votre voix harmonieuse. La bonne musique exerce une attraction et une influence bienfaisante sur les êtres humains, elle fait du bien à l'âme, élève les sentiments et développe l'harmonie dans la nature. La voix humaine est un instrument musical. Vous pouvez juger les gens à leur voix. Il y a des voix criardes, sourdes, tremblantes, nasillardes, éraillées, faussées. Il y a des voix posées, exprimant la force, la justice, l'affection, la tendresse, l'équilibre mental et moral, et mille autres caractéristiques désirables. Tâchez que votre voix soit parmi celles qui expriment les belles qualités. Pour les exprimer, il faut, vous-même, les posséder. Étudiez votre voix au moment où vous êtes en harmonie et vous constaterez que le timbre en est plus agréable que dans les moments où la discorde règne dans vos pensées ou dans vos sentiments. Si vous ne pouvez vous adonner au chant, soignez au moins la diction. Personne ne vous empêche de parler ou de lire à haute voix, ni d'étudier la façon d'exprimer vos idées. Améliorez la qualité de votre voix et vous constaterez que vous y arriverez dans l'exacte proportion où vous vous améliorez vous-même moralement. Le timbre de votre voix impressionne ceux qui vous entourent en bien ou en mal, autant et plus que les paroles que vous prononcez. Par la voix, vous cultivez et vous propagez l'harmonie.

La vie harmonieuse

Mettez de l'harmonie dans vos oeuvres. De même que vous avez un programme au début de chaque journée, ayez un programme dans vos écrits, vos conversations, vos discours ; quand vous parlez, ayez un plan facile à suivre pour vous.

Je vous ai dit que le but suprême de votre vie est le perfectionnement continuel de votre être physique, mental et moral. Vous avez ainsi un but unique. Ce but, pour être atteint, exige l'harmonie, le rythme ; votre vie sera harmonieuse, elle sera une manifestation de l'art. N'accomplissez les actes importants de votre vie que lorsque vous vous sentez en harmonie. Avez-vous une décision à prendre, un problème à étudier et à résoudre, une démarche à effectuer ?... Soyez d'abord en harmonie avec vous-même. Nos parents disaient : « La nuit porte conseil. » Ce proverbe indique que le sommeil apaise l'agitation, ralentit le saut des idées qui se pressent à la fin d'une journée active. Au réveil, votre esprit est calme, reposé, harmonisé ; il peut alors envisager les problèmes en suspens dans les meilleures conditions et arriver facilement à la solution cherchée.

Patience et persévérance

Rappelez-vous que la patience est à la base de tout succès. Les impatients s'arrachent sans cesse au milieu où ils ne se sentent pas en harmonie. À leur grand désappointement, quand ils retrouvent un autre milieu, ils se sentent de nouveau en dysharmonie avec l'ambiance. Ce phénomène vous explique comment les personnes qui se brouillent avec leurs amis changent souvent de milieu, de profession, et courent toujours après le succès, sans jamais le trouver. Ne suivez pas leur exemple. Gardez-vous de fuir l'ambiance où vous ne vous sentez pas en harmonie avec les autres. Commencez par cultiver l'harmonie interne. Plus votre milieu sera distordu, plus votre tâche sera ardue et plus aussi l'harmonie que vous réaliserez en vous-même sera forte et contagieuse. Par la volonté, par l'autosuggestion, vous attirerez vos semblables. Votre ambiance se transformera et votre sphère d'harmonie s'agrandira.

Soyez en harmonie avec les institutions

« Mais, direz-vous, c'est grotesque d'admirer béatement les choses et les événements que je sais être mauvais. Souvent, les préoccupations individuelles des politiciens, leur souci de l'assiette au beurre, leur crainte des responsabilités, leur mollesse, la peur de l'opinion témoignent de leur égoïsme et de leur impuissance. » Mais ce n'est pas en récriminant sans précision que vous arriverez à changer l'état des choses. Réfléchissez donc une bonne fois, donnez-vous la peine d'écrire sur une feuille de papier les fautes et les erreurs que vous pouvez relever dans le gouvernement actuel, faites un plan gouvernemental et financier que suggère votre raison, et quand vous serez avec des amis susceptibles de recevoir efficacement vos suggestions, vous tâcherez d'agir sur eux pour leur faire partager vos opinions ; alors vous pourrez faire oeuvre utile.

Et avec vous-même

Vous ne devez pas seulement être en harmonie avec les autres, vous devez, avant tout, être en harmonie avec vous-même. Vous devez organiser votre vie pour que vos actes, vos paroles, vos pensées, soient d'accord avec le but de votre existence et celle des autres humains. C'est parce que l'harmonie ne règne pas en vous, que vous êtes en proie à l'agitation, à l'impatience, à l'irritation, à la colère, à l'angoisse, à la crainte, au regret, à l'inquiétude, à l'excitation, à l'ennui, à la jalousie, à la concupiscence.

Ces états psychiques sont la cause de votre désaccord avec les gens et les choses.

Si vous faites régner l'harmonie en vous-même, vous deviendrez un maître. Votre malheur, vos malaises, votre insuccès sont dus à ce que vous n'avez pas su maintenir l'harmonie en vous.

Les émotions consomment vos énergies en pure perte ; elles diminuent le rendement de vos efforts, vous empêchent de vous améliorer, d'accomplir un travail efficace et de mener à bien une bonne oeuvre.

Encore une fois, créez d'abord l'harmonie avec vous-même. Chaque fois que vous êtes inquiet, mécontent, agité, anxieux, l'harmonie a disparu de votre personne. Vous êtes incapable, dans cette circonstance, de mener à bien quelque chose.

Soyez calme comme le fleuve canalisé

Considérez un fleuve canalisé, dont le cours est régulier, le trajet rectiligne ; comparez-le au torrent impétueux, contrarié par les roches, les détours, les arbres abattus par la tempête ; chez ce dernier, quelle énergie improductive !

Soyez calme comme le fleuve canalisé. Enlevez les roches qui gênent le cours de votre vie. Chaque fois que vous vous sentirez inquiet, agité, réfléchissez. Prenez un papier, un crayon et faites le dénombrement de vos « points noirs ». Cherchez pourquoi vous êtes inquiet, agité, quelles sont les causes de ce trouble. Analysez les points noirs un par un, cherchez quel est le meilleur moyen de les effacer. Pris individuellement, chacun des obstacles qui jalonnent votre vie s'aplanira. Ainsi vous gagnerez le calme, la tranquillité, la sécurité. Ainsi vous organiserez le succès, la santé et le bonheur. Le calme est favorable à la santé physique, autant que morale. Il conserve les forces, les développe, écarte les rides et prolonge la jeunesse.

L'harmonie dans la famille

Pour vous entraîner à l'harmonie sociale, commencez par vous accorder avec les êtres qui vous touchent de près, avec votre famille. Puis, accordez-vous avec vous-même. L'harmonie crée en vous-même un état euphorique de bonheur inconscient ; cet état rayonne autour de vous et influence votre ambiance. Maeterlinck a dit : « Il n'y a jamais de drame dans la vie d'un sage. » Non seulement il n'y a pas de drame dans sa propre vie, mais il n'y a pas de drame dans la vie des gens qui l'entourent. Le sage, par sa radioactivité, maintient chez les autres l'harmonie et l'équilibre.

Exprimez votre vrai moi

Pour être en harmonie avec vous-même, il faut exprimer votre vrai moi. Il y a trois sortes de moi : « le moi commun », celui que vous êtes (conscient et subconscient) ; le « non-moi », c'est-à-dire l'extérieur, ce qui n'est pas vous-même ; et enfin, le « vrai moi », c'est-à-dire l'ensemble des qualités supérieures que vous possédez inconsciemment. Le *vrai moi* (superconscient) est l'être moral que vous accepteriez volontiers d'être pour devenir parfait — à condition que cette perfection soit réalisable sans effort. Vous seriez, certes, ravi de représenter un idéal de justice, de bonté, de beauté, de faire tout ce qu'il y a de mieux, mais sans que cette réforme vous coûtât une dépense pénible d'énergie. Eh bien ! Le fait d'exprimer votre vrai moi vous rapporterait tellement de bonheur, de succès, de santé, que vous avez le devoir de vous rééduquer pour l'obtenir. Même si cette rééducation vous coûte au début.

Rééduquez-vous

Vous êtes à table, vous savez qu'il est raisonnable de boire de l'eau, de manger peu et lentement, et pourtant vous ne le faites pas ; vous aimez mieux risquer la dyspepsie, la goutte, plutôt que de suivre les principes d'hygiène et de raison que vous avez en vous. Vous êtes fâché contre un subordonné, vous savez qu'il faudrait le regarder dans les yeux, seul à seul, causer avec lui doucement, calmement, pour vous en faire un ami. Or, vous vous emportez contre lui et vous vous en faites un ennemi. Vous avez préféré céder à vos instincts, parce que vous n'avez pas su vous imposer un effort pour acquérir le contrôle de vous-même. Vous êtes ainsi victime de vos passions. Vous êtes non un maître, mais un esclave, vous devez vous libérer par un entraînement progressif, dont la base est l'autosuggestion volontaire et consciente.

Si vous voulez devenir un maître, si vous voulez exprimer votre *vrai moi,* faites, en toute circonstance, ce qu'il y a de mieux.

Suis-je doué pour devenir un maître ?... dites-vous. Oui. Le fait seul que vous lisiez ce livre montre que vous souhaitez une évolution vers le mieux ; vous êtes doué pour devenir « quelqu'un » et réussir.

De l'entraînement progressif

Ne cherchez pas un résultat complet immédiat. Vous ne pouvez détruire en 15 jours ce que vous avez construit en 10 ou 20 ans. Il vous faut, pour devenir un maître, vous soumettre à un entraînement progressif, il faut vous imposer un sacrifice croissant, de quelques minutes à quelques heures par jour, en vous aidant des autosuggestions. Si vous avez l'habitude de vous mettre en colère, ne cherchez pas, brusquement, à être calme toute la journée. Imposez-vous d'être calme pendant deux, trois, quatre heures ; vous arriverez ainsi à vous transformer ; mais *faites ce que vous avez décidé.* Vous serez alors content de vous-même et vous serez entré dans la voie de l'amélioration. Faites un programme quotidien *facile et réalisez-le.* Chaque fois que vous aurez ainsi réalisé votre programme, vous serez content de vous. Vous vous estimerez davantage ; cet encouragement développe l'estime de soi, condition nécessaire pour créer l'harmonie.

Faites tout pour le mieux

Pour être en harmonie avec vous-même, faites tout pour le mieux. Appliquez à votre travail le meilleur de vos facultés. Faites rendre à vos occupations le maximum. Vous me répondrez : « Je suis employé, mon employeur est un homme égoïste qui ne cherche qu'à m'exploiter ; mes efforts de chaque jour lui rapportent gros, sans bénéfice pour moi. Je serai aimable avec les clients, je les attirerai, je les maintiendrai ; mes marchandises seront en ordre, mes comptes admirablement tenus, je serai un employé parfait. Quel sera le résultat ?... Je ne toucherai pas un sou de plus ; j'aurai enrichi un employeur qui m'ignore. » Votre conclusion est fausse. Si vous apprenez le maniement des gens, si vous exécutez votre programme quotidien avec perfection, si vous tenez vos comptes avec une netteté parfaite, vous serez un as dans les affaires. Votre employeur égoïste s'en apercevra ; vous lui demanderez des appointements supérieurs. S'il refuse, vous trouverez aisément un patron qui sera heureux de recourir à vos services ; une personne comme vous est plus précieuse qu'un lingot d'or. Les personnalités agissantes sont des collaborateurs « qu'on s'arrache ».

De l'harmonie mentale

Il faut développer chez vous l'harmonie mentale. Notre âme se compose d'un grand nombre de facultés. Les événements éveillent dans votre esprit des tendances différentes, parfois contradictoires et qui peuvent, à tour de rôle, vous dominer. Cela explique pourquoi vous avez l'impression d'avoir plusieurs personnes en vous et pourquoi la plupart des gens ont tant de peine à établir l'unité dans leur personne et dans leur vie. Il faut équilibrer vos facultés ; chaque faculté trop faible vous rend moins capable de vous adapter à certains côtés de la vie et tend à diminuer votre équilibre, parce qu'elle laisse le champ libre aux facultés plus fortes.

Par exemple, la personne dont les facultés sociales sont faibles ne saura pas tirer parti des relations sociales, elle sera difficilement en harmonie avec ses semblables. Il en résultera pour elle une difficulté à réaliser le succès moral et matériel.

La conscience morale

Voici un sujet chez qui l'*acquisivité* (désir de posséder) règne en maîtresse : il est avare et thésaurise, au lieu de faire travailler son argent, ce qui est préjucidiable à lui et à la société. Si, chez une autre personne, *l'estime de soi est faible,* elle est sans cesse en proie à des craintes excessives, à de l'angoisse ; si elle développe la *combativité,* la faculté d'effort, le courage, la vaillance, la hardiesse, toutes ses craintes s'évanouissent.

Le sujet dont l'*approbativité* (souci des qu'en-dira-t-on) est trop active, se sent timide et mal à l'aise en public. S'il développe l'estime de soi, il devient graduellement indifférent au contact et à l'opinion du monde, il crée en lui l'harmonie.

Les facultés élémentaires de votre psychisme consistent en instincts, appétits, impulsions, inspirations diverses et divergentes. Elles créent une véritable république, à laquelle il faut donner un chef, un dictateur. Pour échapper à l'anarchie, il faut faire régner l'unité dans votre personne et votre existence. Le chef qui préside à l'assemblée de vos facultés, c'est votre conscience morale. Les auxiliaires seront votre raison et votre volonté. Le moyen d'action sera l'autosuggestion.

Réfléchissez un quart d'heure par jour

Donnez-vous donc la peine de réfléchir un quart d'heure par jour, de faire votre programme quotidien et d'examiner ce que vous êtes. Ne considérez pas vos points faibles, ne regardez, au contraire, que ce qu'il y a de mieux en vous, car c'est avec les organes forts qu'il faut développer les organes faibles. Traitez-vous comme vous traiteriez votre meilleur ami, comme un parent sage traite son enfant.

Ayez confiance en vous, pensez du bien de vous-même ; c'est votre droit, puisque *celui qui veut se perfectionner est, à cette minute même, un être supérieur.*

Chapitre 13

Appel au calme

Les malchanceux

Un laboratoire américain de psychologie expérimentale a démontré que sur cent personnes qui embrassent une carrière, trois seulement réussissent ; les autres mènent une pauvre existence sans joie, qui n'était pas celle à laquelle ils avaient droit. Sur ces multiples malchanceux, il y en a un ou deux qui doivent leur insuccès, leur malheur réel ou relatif, à la mauvaise chance ; les autres doivent accuser uniquement leurs défauts personnels.

Ces défauts qui nuisent à la santé, au succès et au bonheur sont multiples, mais quatre prédominent : l'émotivité, la peur, la haine et le pessimisme.

Excitants factices

Dans notre alimentation nous avons remplacé les mets réconfortants par les excitants. Les enfants sont gavés de bonbons et de chocolat ; le café apparaît sur toutes les tables, riches ou pauvres ; les tasses de thé circulent dans les salons ; les terrasses des cafés regorgent de monde. « *L'apéritif est un danger social* » (professeur LETULLE). Il est effrayant de penser ce qu'a coûté d'argent, de souffrances, de morts, de folies et de crimes la ridicule philanthropie des politiciens et des humanitaires. Quand on pense que maintes fois les députés ont enterré, par peur du bistrot, le projet de loi si modeste sur la limitation du nombre des débits de boissons !

La vie trépidante

Les amusements ne sont appréciés que s'ils excitent : courses folles en auto, parties de camping trépidantes sous le soleil et dans la poussière. Les sports sont pratiqués sans mesure... Le fanatisme pour les courses ou la boxe est tel que la victoire d'un cheval est une affaire d'État et que le peuple attend avec anxiété les dépêches qui lui apprennent que les poings illustres du pugiliste X... cassèrent quelques dents à Y... ; quant à l'excitation sexuelle, elle est le procédé habituellement employé pour assurer le succès des films ou des divers spectacles.

Ses conséquences

Vous rendez-vous compte des conséquences de l'impressionnabilité, au triple point de vue physique, mental, moral ? Au point de vue physique l'état hypersensible engendre des désordres du côté du coeur et de l'appareil circulatoire ; il contribue avec la mauvaise alimentation à l'artériosclérose précoce par le surmenage du coeur et des vaisseaux ; le cerveau en subit le contre-coup fâcheux ; du côté moral, la joie, la peine, les inquiétudes provoquent des décharges d'influx nerveux ; elles sont sources d'épuisement chronique, qui aboutit à la timidité, à l'absence de volonté, à la dépression, au découragement.

La peur

La peur, la timidité, l'inquiétude sont filles de l'émotivité. Ces défauts parasites absorbent l'énergie, annihilent la volonté et paralysent l'action utile.

Un contremaître a découvert un procédé pour accroître le rendement d'une machine ; il communique son idée au patron ; celui-ci l'accueille sans enthousiasme, des collègues envieux critiquent la découverte, les ouvriers, par routine, se prêtent mal à l'exécution de manoeuvres que nécessite l'étude du projet. Au lieu de passer outre et de suivre son idée, notre homme commence à douter de lui, il hésite sur la valeur de sa propre découverte et ne poursuit pas une expérience qui peut-être l'eût conduit à la fortune.

Un commerçant a réalisé quelques bénéfices ; il devrait, pour réussir, les consacrer à l'agrandissement de son magasin, à l'augmentation de son personnel, à la publicité, à l'achat d'un nouveau stock de marchandises : mais il a peur de perdre ses premiers gains. Qu'arrive-t-il ? Un concurrent survient, qui fait une installation moderne et attire immédiatement la clientèle.

La peur annihile nos facultés mentales ; de plus elle altère la santé par la formation de poisons organiques.

À l'état chronique, la peur est une maladie commune. Nous connaissons des gens qui ont peur du bateau, peur de l'orage, peur de la pauvreté, peur de la guerre, peur des impôts, peur du bolchevisme, peur des qu'en-dira-t-on, peur de la maladie, peur de la mort. Cette crainte continuelle empoisonne leur existence ; elle répand autour d'eux une atmosphère d'inquiétude perpétuelle, nuit à leur santé, à leur carrière, à leur profession et s'oppose à toute joie.

La timidité

La timidité, succédané de la peur, trouve son origine dans la crainte du ridicule et la défiance de soi. Que d'individus intelligents et honnêtes, bien préparés par leurs études et leur hérédité au succès, ont vécu dans une situation médiocre par suite de la défiance d'eux-mêmes ! On les excuse en les appelant modestes. La modestie et la confiance en soi s'allient pourtant fort bien. Pasteur n'aurait pas été l'un des plus grands savants qui aient existé sur la terre s'il avait été timide ; et pourtant il était modeste.

« *Nous ne devons avoir peur que d'une chose, c'est d'avoir peur.* »

La haine

La haine et ses dérivés : envie, jalousie, colère, etc., produisent des poisons qui nuisent à la santé et épuisent une grande partie de votre énergie, de votre vitalité, si utiles pour penser et agir.

L'envie ne vous apporte rien à vous-même et ne diminue en rien la situation des autres. Au contraire, elle détruit en vous la force nécessaire pour acquérir la situation que vous enviez ; elle aigrit le caractère, vous rend triste, inquiet, gâte votre existence et vous rend antipathique. Dès que l'envie hante votre esprit vous devez, séance tenante, la chasser. Ce que vous enviez chez le voisin, vous pourriez l'obtenir après la rééducation de votre volonté. Entraînez-vous par l'autosuggestion à vous réjouir du bonheur des autres ; c'est le meilleur moyen d'acquérir la paix de l'esprit, la santé et le succès. L'envieux n'est jamais ni chanceux ni heureux.

Le pessimisme

Le pessimiste voit systématiquement le mauvais côté des choses. S'il se promène sur la Côte d'Azur, il critique la teinte grise du feuillage et la sécheresse du sol ; il ne remarque pas la luminosité et la transparence de l'atmosphère, l'opposition des couleurs vives et variées de la mer et des rochers. S'il visite un salon de peinture, au lieu de se réjouir de cette splendide production des artistes, il critique le mauvais goût du jury et ne porte son attention que sur quelques toiles médiocres qui se sont glissées au milieu des chefs-d'oeuvre. S'il visite Paris, il le trouve encombré ; s'il parle d'une famille, c'est pour trouver les enfants bruyants, maladifs ou vicieux.

Aux yeux du pessimiste, les supérieurs sont injustes et imbéciles, les collègues sournois et intrigants, les subordonnés paresseux et malhonnêtes.

Le pessimisme et ses dérivés — mauvaise humeur, esprit chagrin et critique, malveillance — proviennent d'une estime de soi excessive, d'une vanité ridicule, d'une volonté faible et de troubles organiques certains.

Le pessimiste est en désaccord avec les gens et les choses. Il y a un défaut d'harmonie entre lui et son milieu ; il voudrait que le monde se mette en harmonie avec sa personnalité, quand, au contraire, c'est lui qui détonne dans le monde et qui devrait se mettre au diapason général.

Sous le nom de défaitisme, le pessimisme a prolongé la guerre et causé la mort de nombre de personnes.

L'esprit récriminateur

L'esprit récriminateur est entretenu par les rapports avec d'autres pessimistes, mauvaises langues, potiniers, par la lecture de livres et de journaux qui montrent le vilain côté des choses, critiquent à tort et à travers pour exciter la curiosité malsaine du lecteur. Le maussade souffre de petites exigences ; tout ce qui trouble son petit programme le fait récriminer, s'impatienter, prononcer des paroles aigres. Autant de semences pour l'antipathie qui germera auprès de lui ; autant de fuites d'énergie physique et morale dont il aurait tant besoin pour soutenir sa santé ou élever sa situation. Il éloigne de lui clients et amis et ne veut pas reconnaître qu'il est lui-même la seule cause de son isolement.

Le philosophe Young disait avec raison que « *la plus grande richesse d'un homme n'est pas une grosse fortune mais un heureux caractère* ».

Hygiène morale

Pour retrouver la santé physique, il faut supprimer les habitudes antinaturelles, se placer dans les conditions hygiéniques que réclame l'organisme, puis attendre avec confiance le résultat qui ne saurait manquer de se réaliser. De même, pour conquérir succès et bonheur, il faut se placer dans de bonnes conditions d'hygiène morale et attendre le résultat avec certitude de l'obtenir.

Que faut-il pour observer ces règles de l'hygiène psychique ?

1° *S'entraîner au calme.*
2° *Prendre l'attitude optimiste et bienveillante.*
3° *Éduquer sa volonté.*
4° *Faire oeuvre utile.*

L'entraînement au calme

Sujets impressionnables et névrosés, soyez convaincus que pour vous il n'y a pas de santé ni de réussite si vous ne domptez votre hypersensibilité. Il faut apprendre à ne vous laisser abattre par aucun accident, déprimer par aucun ennui, annihiler par aucune inquiétude. Comment opérer cette transformation ?

Évitez toutes les causes d'excitations alimentaires : café, alcool, coktail, thé, chocolat, excès de sucre, viandes, goûters, etc.

Évitez les causes d'excitation physique : bruit, discothèques, noctambulisme, vie mondaine, abus sexuels.

Évitez les excitants

Évitez les causes d'excitation morale : pas de lectures ou de spectacles impressionnants, pas de relations avec des amis nerveux, agités, inquiets ; recherchez au contraire le commerce des gens calmes, raisonnables et pondérés ; supprimez dans votre façon d'être les manifestations extérieures de l'agitation : gestes d'impatience, récriminations, marche hâtive, mastication rapide, apparence pressée ou préoccupée ; supprimez tout « mouvement parasite » ; ne tapotez pas avec les doigts sur la table en signe d'impatience ; ne croisez pas les jambes dans la positions assise ; cessez de mâchonner vos lèvres, de siffloter ou de chantonner. Ces actes sans but énervent et fatiguent.

Les enfants impressionnables

Dès l'origine de l'existence, tout est mis en oeuvre pour exalter cette sensibilité. La mère taquine son enfant, le fait rire, provoque la moue ou les larmes ; le père lui raconte des histoires terribles pour voir une pauvre petite figure effrayée. À tout instant on éveille la terreur des tout petits pour les mettre en garde contre un danger ; on provoque la crainte ou la joie pour obtenir d'eux l'obéissance. Ainsi se développe et s'exalte la sensibilité de l'enfant. Adulte, il arrivera fatalement à jouir et à souffrir de tout ; il réagira trop vivement.

L'autosuggestion

Recourez à l'*autosuggestion.* La suggestion est souvent utilisée pour la cure des défauts de l'enfant. Quand un enfant vicieux inquiète sa famille par la prédominance d'un défaut, on peut le confier à un psychothérapeute, qui lui suggère une qualité, un sentiment, une série d'actes qui doivent contrarier l'activité du vice redouté. Cette suggestion peut être employée à l'état de veille : elle peut être exercée par vous-même et sur vous-même ; c'est l'*autosuggestion*. Voici comment elle s'applique : vous rédigez par écrit et à tête reposée une ou plusieurs formules exprimant la qualité que vous voulez posséder et vous l'apprenez par coeur. Par exemple un conférencier veut être guéri de la timidité qui l'empêche de parler en public ; il rédige cette formule : « *J'ai confiance en moi, car mon intelligence se développe ; je parle chaque jour avec plus d'aisance.* » Puis, matin et soir, il s'isole dans une pièce, s'allonge et garde une immobilité absolue ; ses yeux sont fermés ; il répète *alors à haute voix* ou *à mi-voix* la formule qui doit être suggérée ; il la répète dix fois, vingt fois ; même s'il n'a pas la foi, l'idée pénètre dans son subconscient, puis il peut reprendre ses occupations ; il est imprégné.

Ses bienfaits

Répétez les actes et les formules indiquées plus haut, pendant huit jours, quinze jours, un mois ; vous serez étonné du résultat obtenu ; comme le succès ne peut se faire attendre, peu à peu vous acquerrez confiance en vous-même, grâce aux progrès que vous constaterez. L'autosuggestion n'est pas seulement utile pour acquérir des qualités morales ; elle est aussi une des conditions pour reconstituer la santé. Le cerveau agit à la fois sur vos fonctions psychiques, sur vos actes volontaires et sur vos fonctions organiques. C'est le cerveau qui ordonne à l'estomac de digérer, au coeur de battre et aux poumons de respirer.

Chaque fois que vous répéterez des autosuggestions optimistes et favorables à la santé, telles que : « Je vais bien », vos fonctions se feront mieux et la tendance à la guérison s'accentuera.

Ainsi vous évoluerez

Le moyen d'acquérir à la fois la santé de l'esprit et du corps est d'une telle simplicité, direz-vous, que l'humanité entière devrait y avoir recours. Beaucoup font un essai et manquent de persévérance ; ils se croient trop vieux pour se modifier ; soyez pourtant convaincu qu'il est possible à tout âge de transformer les habitudes physiques et morales parce que le cerveau contient des zones inutilisées que vous pouvez développer au gré de vos besoins jusqu'à l'âge le plus reculé. C'est le cerveau qui préside à votre évolution. Votre plan de restauration est imposé au cerveau par vos suggestions et vos habitudes. Cette tendance à l'évolution et à la transformation vous est prouvée chaque jour par les merveilleux effets obtenus dans l'élevage et le dressage des animaux. L'éleveur arrive à modifier l'espèce, le tempérament, les aptitudes de ses animaux. Les horticulteurs créent avec une plante sauvage un type idéal par son parfum et son coloris. Eh bien ! ce que l'homme peut obtenir des animaux et des plantes après plusieurs générations, par croisements successifs, il l'acquiert plus sûrement et plus rapidement avec sa propre personnalité, car son intelligence, son jugement lui permettent de construire immédiatement le type parfait auquel il veut s'identifier. Il peut atteindre cette perfection par la confiance et la répétition.

Prenez l'exemple d'un aveugle accidentel ; avant l'accident, les doigts du blessé ont servi aux usages courants de l'existence, le tact chez lui a été peu développé ; néanmoins, après quelques mois d'entraînement, c'est-à-dire grâce à la répétition, au désir de savoir, l'aveugle sait lire avec ses doigts.

Avez-vous essayé, quoique adulte, de vous initier à un sport ou à un art ? Vous avez réussi par la répétition, l'intérêt, l'habitude et la foi dans le succès. Celui qui veut apprendre un art doit avoir la certitude de réussir ; il doit compter sur le succès et l'attendre avec confiance. Eh bien ! vous pouvez apprendre à être calme, attentif, énergique, comme vous apprenez le violon, les langues étrangères, la dactylographie, etc. Il suffit d'exécuter des exercices d'entraînement et de créer des habitudes nouvelles. Si vous voulez acquérir le calme, efforcez-vous d'avoir l'air calme et patient ; trois ou quatre fois par jour, allongez-vous dans la solitude sans remuer un doigt, et dites 50 fois à haute voix ou à mi-voix : « Je suis calme. »

Chapitre 14

Les êtres extra-sensibles

Les écorchés moraux

Il existe, par le monde, des êtres extra-sensibles, dont toutes les impressions, comme les réactions, sont exaltées. Ces êtres semblent dépouillés de leur épiderme : on dirait que leurs filets nerveux sont directement en contact avec l'extérieur car ils sentent et souffrent plus que les autres. Cette hyperesthésie morbide est une source d'émotions, d'angoisse et de fatigue. La vie de ces « écorchés moraux » est pénible pour eux-mêmes et leur entourage. Leurs jugements sont viciés, leurs actes irréfléchis ; ils font de ce fait de fréquentes bévues, qui rendent leur tempérament incompatible avec la santé et le bonheur. L'extra-sensibilité entrave la vie sociale et le rendement professionnel.

Je ne parlerai pas ici des cas pathologiques, des agités, psychasthéniques, déséquilibrés, mélancoliques, car ce sont des malades. Je ne m'occuperai que des sujets extra-nerveux, mais pratiquement normaux, qu'une sensibilité exaltée rend malheureux et... embêtants.

À quoi reconnaître les nerveux

Il faut savoir reconnaître les « nerveux ». C'est facile, direz-vous : le nerveux se reconnaît à ce qu'il a l'air agité, déprimé ou inquiet, à ce qu'il réagit vivement à toutes les sensations, par le rire, les grimaces, les pleurs, les injures...

Une porte qui claque le fait sauter, le moindre événement fait trembler d'émotion ses lèvres, ses paupières, ou humecte ses yeux ; si vous lui serrez la main, elle est moite, sa parole est précipitée ou saccadée. Mais il en est aussi qui ne se révéleront qu'à l'observateur doué d'une grande perspicacité. Si vous étudiez la phrénologie, vous les reconnaîtrez en toute circonstance. Les tendances de la personne hypersensible sont, en effet, marquées sur son visage et son crâne. Pour ceux qui ont suivi un cours de physionomie et de phrénologie, le diagnostic est facile.

Ce qu'enseigne la phrénologie

La phrénologie vous enseignera que le psychisme du sujet hyper-nerveux se caractérise par une approbativité forte et l'estime de soi faible ; l'approbativité est le besoin d'être approuvé par les autres ; le nerveux se croit au-dessous de ce qu'il veut paraître. De plus, la fermeté, la combativité sont insuffisantes, de sorte qu'il n'a pas d'auto-contrôle ; il n'est pas plus maître de ses actes que de ses réactions. Il manque de calme.

Les facultés de notre âme, nos instincts, nos tendances sont donc inscrits sur notre crâne et notre physionomie. De ce fait, notre psychologie individuelle est accessible à la connaissance des initiés. La phrénologie enseigne que, si vous avez une faveur à obtenir de tel individu ou de tel autre, il faut, pour l'influencer favorablement, éveiller chez l'un la gourmandise, chez l'autre l'orgueil ou l'amour de l'argent, chez un troisième l'amour de la famille, ou l'idéal. Cette façon d'influencer autrui, cette méthode pour choisir ses alliés, sa femme ou son mari, est la seule scientifique ; c'est celle à laquelle vos descendants auront recours.

Phrénologues et graphologues avertis, vous reconnaîtrez tout de suite l'être hypersensible, même s'il se cache.

N'accusez pas le milieu où vous vivez

Le diagnostic étant fait, les inconvénients de l'hypersensibilité étant reconnus, que faire pour rendre à « l'écorché » une place normale, pour en faire un être calme, un équilibré, un pondéré ?...

Vos enfants deviendront tels que vous les ferez, grâce à leur hérédité et à leur éducation. Par l'hygiène physique et morale, par la culture physique et mentale, vous deviendrez fort, intelligent et réalisateur. Si vous êtes mécontent de votre sort, changez-le, cherchez vos points faibles, développez-les, comblez vos lacunes.

Vous êtes sceptique, peut-être, et vous allez me dire : « Nerveux ?... mais nous le sommes tous. C'est le fruit de l'hérédité, l'influence de notre race, de la vie agitée que nous menons ; c'est la faute du téléphone, de la télévision, de l'auto, du cinéma, du journal, de l'alcool, du tabac, du thé. » Certes, votre explication est juste. Mais où vous commencez à vous tromper, c'est quand vous ajoutez : « Nous n'y pouvons rien. Nos enfants sont des paquets de nerfs, comme leurs grands-parents et nous-mêmes. Nous sommes nerveux par nationalité, par tempérament et tels nous sommes, tels nous resterons. »

Erreur !

Vous pouvez modifier votre état

Vous pouvez modifier les êtres sensibles que vous fréquentez et que vous aimez ; vous pouvez vous transformer vous-même, si votre sensibilité est exaltée.

Si vous doutez que cette métamorphose soit possible, si vous vous demandez s'il est aisé de rendre calme, équilibré un sujet extra-nerveux, vous n'avez qu'à considérer les résultats que les dompteurs obtiennent avec les fauves. Ces dresseurs font exécuter aux lions et aux panthères des tours variés et les rendent aussi dociles que des chiens. Il n'y a pas de raison pour qu'un homme intelligent et de bonne volonté ne soit pas modifié aussi facilement qu'un animal, alors que le ressort mental est plus puissant.

L'agitation de l'esprit, comme la dépression, est la conséquence habituelle de mauvaises habitudes physiques et mentales. *Nourriture mauvaise,* absorption de toxiques ou d'excitants, comme le tabac, le thé, le café, les épices, l'alcool, le vin, la viande, *vie mal organisée,* absence de méthode et d'ordre dans le programme de chaque jour, contact de gens *détraqués,* pessimistes, excités, sont parmi les causes qui favorisent cet état névrosé.

Fuyez les gens nerveux

Il est autour de nous des personnes dangereuses ; ce sont les agités, les déprimés, les semeurs de mauvaises nouvelles, les pessimistes. Il faut les laisser tomber. Supprimez de vos relations les gens qui s'irritent facilement, geignent, pleurent ou trépignent ; les parents qui giflent l'enfant et crient ; l'ami qui injurie le chauffeur de taxi ou le téléphoniste. Ne fréquentez que des gens calmes, sages et judicieux. Évitez les lectures ou les spectacles énervants et déprimants.

Rééduquez votre psychisme

Il faut rééduquer son propre psychisme ; la nervosité n'est pas le résultat d'un seul défaut, mais la synthèse de faiblesses multiples.

Pourquoi un individu est-il nerveux ? Parce qu'il a l'approbativité forte, parce qu'il tient trop compte de l'opinion des autres. Le nerveux a la circonspection forte ; il a peur de tout, ce qui le rend anxieux; il a peur de mal faire, des événements, peur de la maladie. Circonspection forte, approbativité forte doivent être neutralisées par le développement de l'estime de soi et de la combativité. Comment développer la combativité ?... Par la culture physique et la pratique des sports. Comment développer l'estime de soi ? Par l'autosuggestion.

Consultez un psychiatre

Je rappelle que tous ceux qui *souffrent de leurs nerfs* doivent se soumettre aux soins d'un psychothérapeute. Le psychiatre, par la psychanalyse, découvre la cause et la combat.

Les névropathes se ramènent à quatre grands types principaux d'après Hartenberg.

Asthéniques et déprimés

Les *asthéniques, ou déprimés,* sont des êtres fatigués, qui se plaignent d'une lassitude continuelle, plus las le matin quand ils se lèvent que le soir quand ils se couchent. Tout travail musculaire ou intellectuel leur demande un effort pénible ; s'habiller, marcher, tenir une conversation, étudier, lire même, c'est pour eux une occupation laborieuse, qui les épuise rapidement. L'asthénique a l'impression d'être dépourvu d'énergie ; c'est un pauvre qui ne peut pas équilibrer son budget. Vous le reconnaîtrez facilement : teint pâle, traits fatigués, attitude courbée, en flexion, voix blanche ou mal timbrée.

Ce type de névropathe correspond à ce qu'on appelait les « neurasthéniques ». Cet état, qui peut succéder à une grippe, est le plus souvent dû à une intoxication par l'intestin, à une émotion, à l'âge critique, à un vieillissement précoce, qui lui-même est la conséquence d'une mauvaise organisation de sa vie ou d'une intoxication par le gros intestin.

Les hypersthéniques

L'hypersthénique est le contraire du précédent ; il dépense son activité le plus souvent inutilement. Extrêmement émotif, bavard et versatile, il présente alternativement des exagérations d'émotivité triste et de folle gaieté. Il exprime ses états affectifs par une mimique excessive. Vous aurez tous rencontré dans le monde ces individus agités ; le médecin les voit rarement, car ils sont considérés comme des gens bien portants. Le seul trouble dont ils se plaignent, c'est l'insomnie. Il faut arriver à leur procurer le sommeil par l'autosuggestion, un repas du soir modéré, quelques médicaments non toxiques (bromure de sodium).

Les anxieux

L'anxiété est le cas le plus fréquent. Ici l'émotivité est excessive. Ces anxieux sont toujours atteints par la crainte et la terreur. Chez l'individu sain, l'émotivité ne survient que pour les passions légitimes, et l'intensité de la réaction est proportionnée à son objet. Au contraire, chez l'anxieux, elle se déclenche d'une façon inopportune et dans des proportions démesurées. Au degré plus léger, c'est une simple inquiétude qui colore tous les états d'âme de l'individu. C'est le type du caractère anxieux. Qui ne connaît ces individus toujours inquiets, hésitants, douteurs, aussi incapables de s'arrêter à une opinion ferme que de se décider à une conduite ? Quand cet état devient pathologique, le sujet vit dans un état d'anxiété perpétuelle, de contraction thoracique, éprouve un resserrement de la gorge. On observe, sur sa figure, les rides médianes du front, l'élévation du sourcil ; il se plaint de battements de coeur, de sueurs froides, de tremblements, parfois de sensation de mort imminente, par fausse angine de poitrine.

À un degré de plus, l'émotivité anxieuse se fixe sur un objet déterminé, une idée, une impression, un acte et devient alors une phobie, une obsession. Le sujet peut avoir la maladie du scrupule ou se montrer aboulique (absence de décision).

L'anxiété peut se présenter sous deux processus différents : 1) elle apparaît d'une façon momentanée, intermittente, sous forme de doute, de scrupule, d'aboulie ; 2) elle s'installe d'une façon permanente et entrave le cours régulier de l'activité psychique de l'individu, sous forme d'obsession.

Imaginatifs et hystériques

L'imagination est exaltée, ces sujets présentent des paralysies, des spasmes, des contractrures ; ce sont des *névropathes d'imagination.* La maladie est le plus souvent causée par un conflit affectif (amour contrarié), un traumatisme. Ces cas se guérissent par la psychothérapie, après psychanalyse (Freud).

Veillez à une bonne hygiène générale, une alimentation rationnelle, pratiquez la rééducation psychique.

Chapitre 15

La personne bienveillante séduit

Adoptez une attitude

L'être humain doit adopter une attitude morale, physique et mentale, comme il adopte un genre de maison ou un type d'habillement. Si vous voulez vous transformer, vous devez penser constamment au type idéal que vous avez imaginé. Que ce nouveau moi soit optimiste, c'est-à-dire de bonne humeur et content de tout, qu'il soit bienveillant, conciliant, poli, aimable, complaisant ; il rendra les autres heureux et se rendra heureux lui-même.

Soyez un optimiste

L'optimiste voit tout en beau systématiquement, tandis que le pessimiste voit tout en laid. Ce dernier est en désaccord avec son milieu ; l'optimiste est au contraire en harmonie avec son ambiance. Le premier exige que tout le monde se mette d'accord avec lui, le second trouve plus simple, plus efficace de se mettre d'accord avec tout le monde.

L'optimisme aide au bon fonctionnement de vos organes, tandis que le pessimisme entretient des poisons qui prédisposent à la maladie, au cancer, à la vieillesse prématurée. Ne portez donc pas votre attention vers ce qui est laid ; gardez-vous de toute critique défavorable ; évitez toute parole sarcastique ou déprimante ; ne faites jamais de peine à qui que ce soit ; évitez de vous lier avec les personnes qui ont l'habitude de geindre, de se plaindre et de voir tout par le mauvais côté, jusqu'au jour où vous aurez pris vous-même l'habitude de l'optimisme.

La personne bienveillante séduit

Entraînez-vous à être également aimable, poli avec votre propre famille et vos enfants, comme envers tous vos semblables. Vous ferez d'eux des heureux et vous verrez naître la joie en vous-même. « *La politesse,* disait Montaigne, *ne coûte rien et achète tout, car les belles manières sont l'ornement de l'action.* »

La personne bienveillante séduit et entraîne le monde inconsciemment ; un charme se dégage de ses yeux, de sa voix et de ses gestes ; de toute sa personne *il émane une radioactivité qui vous prend le coeur.* Plus vous développerez en vous la bienveillance et l'optimisme, plus vous verrez disparaître soucis, chagrins, malaises physiques ; plus vos pensées deviendront vives et pénétrantes ; plus efficaces seront vos désirs car vous trouverez auprès de vous la collaboration de vos semblables. Pour acquérir l'habitude de voir le beau côté des êtres et des choses, il faut déployer une certaine surveillance de soi au début ; cette nouvelle attitude se développera par la répétition. « *La répétition d'un acte,* dit Smiles, *crée l'habitude ; l'habitude qui avait d'abord la fragilité d'un fil d'araignée finit par être aussi solide qu'un câble d'acier.* » La bienveillance et l'optimisme entraînent le succès. « *Le travail le plus productif,* dit encore Smiles, *est celui qui sort du cerveau et des mains d'un homme au coeur joyeux.* »

La volonté vient à bout de tout

De toutes les facultés utiles à votre rééducation physique et morale, aucune n'est plus utile que la volonté. Faire acte volontaire, c'est transformer une idée en action ; l'énergie est la continuité des efforts volontaires vers un but déterminé. J'ai décidé de faire l'ascension du mont Blanc. Le lendemain, à quatre heures, je me lève et me mets en route ; je fais acte de volonté. Je rencontre vingt obstacles qui m'invitent à rebrousser chemin, je poursuis quand même mon ascension et j'atteins mon but ; je fais preuve d'énergie.

Est doué de volonté l'homme qui accomplit tout ce qu'il a décidé d'accomplir. Est doué d'énergie celui qui ne laisse modifier sa décision ni par les gens, ni par les choses. La puissance prodigieuse, infaillible de la volonté a été affirmée de tout temps : « *Vouloir, c'est pouvoir.* » « *Avec la volonté on vient à bout de tout.* » « *Une personne,* dit Thomas Buxton, *peut devenir tout ce qu'elle veut pourvu qu'elle prenne une forte résolution et s'y tienne.* » Dans son livre, *À mes fils,* Paul Doumer écrit : « *Dans la lutte pour l'existence, l'homme de volonté énergique réussit mieux que tout autre, mais cette volonté doit être exercée sans trêve ni repos, appliquée à son propre perfectionnement et à tous les actes de son existence.* »

Mais, objecterez-vous, pour acquérir la volonté, il faut déjà avoir de la volonté ! Vous avez raison, mais vous avez un procédé pour faire le premier pas, c'est l'autosuggestion.

Soyez efficient

La volonté permet de réaliser toute pensée élaborée par l'esprit, mais encore faut-il que cette pensée soit bonne et utile et, pour qu'elle soit bonne et utile, il faut qu'elle ait été conçue avec réflexion. La volonté doit être intelligente, et l'intelligence se développent par la concentration.

La *concentration* est la qualité de l'esprit qui lui permet de faire converger toutes ses facultés sur un seul objet, en écartant toute pensée étrangère, toute distraction. L'esprit concentré s'attache exclusivement à une pensée, à un sentiment, à un sujet, à un objet et acquiert alors une puissance extrême. Ainsi se développent le jugement, la déduction et la mémoire.

Certaines professions entraînent à la concentration ; par exemple les mathématiques. Archimède, absorbé par la solution d'un problème, fut tué au siège de Syracuse par un soldat auquel il ne donnait aucune réponse. L'étudiant qui peut, dans une bibliothèque, travailler sans remarquer les allées et venues des habitués, sans plus de distraction que dans la solitude, est doué de concentration. La personne *pratique, efficiente,* qui réalise (se rend compte nettement), est celle qui sait se concentrer.

Faites oeuvre utile

Pour réussir, il ne suffit pas d'avoir de belles qualités morales et une bonne santé, il faut encore les appliquer à quelque chose d'utile. La réussite est en proportion directe du service rendu aux autres. Or, il n'est pas possible d'être utile à l'humanité sans être utile à soi-même. Choisissez un travail qui réponde à un besoin de l'humanité, et comme les besoins de la race humaine sont illimités, les occasions de réussir sont elles-mêmes illimitées. Une fois le choix du travail utile fait, il faut l'aimer et lui consacrer le meilleur de soi-même.

Tout le monde viendra à vous

Le jour où vous vous appliquez à quelque chose d'utile et où vous atteignez une vraie compétence, c'est-à-dire L'EXCELLENCE, par la répétition, l'habitude, la persévérance, vous êtes certain d'acquérir un grand succès, parce que le monde ne peut se passer de vous ; ceci est une vérité mathématique. Le philosophe américain Emerson a dit : « *Celui qui construit le meilleur piège à rats, prêche le meilleur ser-*

mon, écrit le meilleur livre, peut construire sa demeure au sein d'une forêt inextricable ; les clients se chargeront de créer des routes pour venir jusqu'à lui. »

Que puis-je faire d'utile ?

Quelle est l'origine des gens qui sont devenus les champions de l'industrie et de la finance ? Ils ont débuté jeunes dans l'industrie et les affaires ; dès le début, ils se rendirent utiles dans la mesure de leurs moyens ; ils acquirent un tel degré de compétence, d'excellence dans leurs fonctions que leurs patrons ne purent songer par la suite à se passer de leurs services ; ils furent obligés de les intéresser dans leurs bénéfices ou d'en faire leurs associés. Une veuve habitant New York, Mme Evans, se trouva complètement ruinée avec quatre jeunes enfants à élever : trois filles et un garçon. La mère intelligente se demanda : « Que puis-je faire qui soit de telle utilité que je puisse en retirer les ressources nécessaires à ma famille et à moi-même ? » Elle se rappela alors qu'étant jeune fille, elle avait un talent spécial pour fabriquer des bonbons. Elle résolut d'appliquer sa recette au commerce, et sa fille aînée Mary-Élisabeth, âgée de quatorze ans, fut chargée de l'exécution des bonbons. Cette dernière plaça les bonbons dans des boîtes coquettes et les vendit facilement ; sur chaque boîte elle écrivit « Candy Mary-Élisabeth ». Actuellement, le commerce des « Candy Mary-Élisabeth » rapporte deux millions de francs par an. On pourrait citer un nombre infini d'exemples semblables. Voilà comment l'« excellence » jointe à l'utilité amène la richesse.

Soyez utile aux autres

Mais, je le répète, pour être vraiment utile à soi-même, il faut être utile aux autres.

Prenons l'exemple de deux industriels : l'un s'applique exclusivement à gagner de l'argent, sans s'intéresser au sort de ses ouvriers ; l'autre se préoccupe de leur bien-être physique et moral. Il veille à l'hygiène des ateliers, fonde une bibliothèque, une crèche, un dispensaire, fournit à ceux qui ont l'esprit inventif des ateliers avec les instruments nécessaires pour réaliser leurs idées de perfectionnement. Cette sollicitude, qui révèle la volonté d'être utile à la collectivité, assure au patron le dévouement de son personnel, qui se trouve ainsi élevé aux fonctions de collaborateur. Sa situation est plus sûre que celle du premier. Il n'aura point à craindre les grèves comme l'autre. De même, l'ouvrier qui fait consciencieusement son travail, l'employé qui s'attache aux intérêts de son patron, le caissier scrupuleux, le médecin dévoué adoptent le seul parti qui puisse rendre leur situation sûre.

Dans un compartiment de chemin de fer, quatre femmes intelligentes causaient. « Quel métier feriez-vous, disait l'une d'elles à ses compagnes, si vous veniez à être ruinée ? » L'une répondit : « Je choisirais la peinture » ; une autre ajouta : « Je ferais de la sténographie » ; la troisième opina pour la mode et la quatrième, s'adressant à moi, me dit : « N'ayant aucun talent, je fabriquerais du pain complet. Qu'en pensez-vous, docteur ? »

« Je pense, madame, répondis-je à la dernière, que vous avez choisi ce qu'il y a de plus utile, c'est donc vous qui avez le plus de chances de réussir. »

Faites de votre vie une oeuvre d'art

En résumé, vous qui me lisez, vous valez dix foix plus que vous n'êtes actuellement ; vous conservez dans un bas de laine un héritage d'aptitudes précieuses, semences de santé et de succès. Faites-le donc fructifier par la rééducation de vous-même. *Parents, si vous appliquez à vos enfants les données de la culture humaine, vous leur laisserez un capital inaliénable.* Cela suffira-t-il toutefois pour les rendre heureux ? Les capacités qui leur permettront d'acquérir l'aisance physique, le confort ou la richesse suffiront-elles à réaliser le vrai bonheur ? Je me dois de répondre par la négative ; il leur manquera un peu d'idéal encore, car je ne conçois pas le bonheur sans la contemplation du beau, du juste et du vrai. Ne négligez pas l'éducation du goût. Pas de bonheur, pas de joie sans admiration, sans enthousiasme. Dès le début de la vie, apprenez aux tout petits à regarder et à admirer les manifestations d'art qui les entourent : tableaux, monuments, statues, meubles, etc. Apprenez-leur à admirer la nature, toujours belle, en quelque lieu que vous soyez, avec ses lignes harmonieuses, ses masses grandioses et ses coloris. Faites-leur une âme d'artiste, et quand ils grandiront *ils sauront faire de leur vie même une oeuvre d'art.*

Rayonnez autour de vous

Aurez-vous trouvé ainsi la voie du bonheur ? Oui, mais pour en jouir pleinement et le conserver, cherchez à le partager avec les autres ; aidez-les à le conquérir ; *rayonnez sur eux.*

Vos enfants seront riches et considérés s'ils savent éduquer leurs qualités physiques et morales ; mais si vous voulez qu'ils soient pleinement heureux, initiez-les à vos sentiments de dévouement et de charité.

Alors, vous ne songerez pas seulement à vous-même, mais aussi aux ouvriers, aux modestes travailleurs, à tous ceux qui, moins heureux, faute de conseils, d'appui ou de direction, n'ont pas su acquérir la situation qu'ils ont le droit d'espérer et dont vous jouissez déjà. Songez que votre existence n'aura de valeur que par l'*action* et que votre *action* sera d'autant plus efficace qu'elle contribuera au bien et à la joie de vos semblables. Alors seulement, vous pourrez dire que vous avez conquis le succès et le bonheur. Il n'y a de vrai bonheur que celui que vous donnez ou que vous partagez.

Chapitre 16

Amour et bonté

Avant tout la vérité

Ne confondez pas la vraie bonté, qui se montre d'accord avec la vérité, avec la sensiblerie, qui arme le mensonge.

Tout fiancé devrait exiger une fiche de santé de sa partenaire et *vice versa.*

Tout patron devrait exiger une fiche de santé de ses employés ; ce serait pour eux une indication précieuse pour l'organisation de leur vie, car *sur 100 « bien portants », il y a 97 malades qui s'ignorent et sont curables.* Ce serait une indication utile au patron, car il y aurait moins de chômage, de frais d'assurances, de sources de contagion, etc. Tout malade atteint de syphilis, d'un cancer au début, ou de tuberculose curable, devrait connaître son diagnostic, dans son intérêt personnel et dans l'intérêt de ses semblables.

Ceux qui défendent ces idées sont considérés comme des êtres durs et brutaux, car les gens sont en principe partisans de la philosophie de l'autruche et ferment les yeux sur les ennuis possibles. Pourtant, il est possible de dire aux gens les plus dures vérités sans les chagriner, sans les froisser ; il suffit de savoir s'y prendre.

À quoi bon amour et bonté ?

Un élève dit à Paul Nyssens : « Vous voulez m'enseigner l'amour et la bonté. Que voulez-vous que me fassent ces qualités morales ?... Je suis votre cours pour accroître mon bonheur, ma santé et mon succès ; j'ai la plus grande estime pour le développement moral et pour tout ce qui élève l'âme. Je ne demanderais pas mieux que d'être doué de ces facultés supérieures, mais ce n'est point là le but que je poursuis en vous lisant. J'ai un but purement utilitaire. Je veux réussir dans la vie, je veux une situation sociale plus élevée. Je consens pour cela à me rééduquer, mais pour moi l'amour et la bonté sont hors de cause. »

Leur pouvoir attractif

Paul Nyssens fit comprendre à cet élève qu'il raisonnait mal ; si vous voulez réussir dans la vie, *il faut aimer tout ce que vous faites,* il faut faire tout avec joie, enthousiasme ; il faut aimer vos semblables pour être suggestif (attractif, influent et sympatique). La bonté attire la sympathie. Les êtres bons sont estimés et inspirent confiance. « Mais, ajouterez-vous, il suffit de paraître bon pour être *attirant,* il n'est pas nécessaire de l'être sincèrement. » Erreur ! Il n'est pas possible de paraître bon sans l'être ou le devenir par une sorte d'autosuggestion. Les bonnes actions, faites d'abord d'une façon raisonnée, intéressée, confèrent finalement la vraie bonté à celui qui les pratique. Le but intéressé n'est peut-être pas aussi louable au début, mais le résultat vous confère des qualités que vous n'aviez pas, et votre bonté est plus méritoire encore, car elle est acquise volontairement.

Amour, bonté et sagesse

Ne considérez donc pas l'amour et la bonté comme de simples qualités morales naturelles, mais surtout comme des capacités et des pouvoirs qui conduisent à la *maîtrise.* Le plus grand bien qu'une personne puisse posséder, c'est la sagesse. Or, la sagesse contient l'amour, la bonté et la joie.

La sagesse contient tout ce qui est bon. Ici l'amour, considéré dans son sens le plus large, c'est l'attirance vers tout ce qui exprime le bien ; la bonté veut le bien et écarte le mal. Vous devez vouloir le bien pour les autres et pour vous-même.

Aimez vos occupations

Vous ne pouvez concevoir le bonheur sans liberté et indépendance. Vous voulez vivre votre vie comme vous aimez la vivre. Pour cela, il faut aimer à la fois vos occupations, votre ambiance. Pour être libre, il faut agir suivant votre conscience ; celui qui agit contre sa conscience est toujours inquiet, c'est un esclave. Vous ne devez pas obéir par raison, par force, par nécessité, mais par sagesse, spontanément, de plein gré, avec le sentiment et la satisfaction de bien faire. Vous aurez ainsi le calme et la quiétude.

Même si elles vous sont antipathiques

Supposons que vous ayez une occupation qui vous soit antipathique, que vous désiriez autre chose et qu'il soit impossible de rien changer à l'état actuel. Cette situation est un esclavage pour vous, votre sort vous paraît dur. Eh bien ! agissez comme le marin qui a décidé de voguer du nord au sud alors que le vent souffle du sud au nord ; malgré le vent contraire, la voile et le gouvernail aidant, grâce à de savantes manoeuvres et à d'habiles bordées, le voilier avance dans la direction choisie. Agissez de même dans la vie... Quand les circonstances s'opposent à vos décisions, changez l'orientation de la voile, adoptez une autre attitude. Réfléchissez et reconnaissez que vos occupations ne sont pas si désagréables et si rudes que vous l'aviez conçu. Il faut que ce soit vous qui les dominiez et non pas elles qui vous dominent. Ces occupations sont utiles car elles vous fournissent l'occasion de développer vos qualités de maître. Votre volonté, votre persévérance vous donnent l'occasion de vous entraîner à la bonne humeur, au calme, à la régularité, ce qui vous permet de devenir sympathique, « magnétique », doué d'influence. Ces conditions peuvent se réaliser dans n'importe quelle profession et n'importe quelle occupation. Bientôt, vous apprendrez à aimer ce qui auparavant faisait de vous un esclave.

Réservez-vous une heure de travail joyeux

D'ailleurs, les journées sont longues. Réservez-vous une heure pour le travail joyeux. Je connais plus d'un fonctionnaire ou employé qui, dans ses moments de loisirs, s'est appliqué à un travail supplémentaire qui lui a procuré l'opulence.

Je connais un employé des Postes qui s'est mis à fabriquer des fleurs de coquillages dans ses moments de loisirs ; il s'est créé une telle situation qu'il a pu abandonner ses fonctions de postier pour devenir un commerçant prospère.

Si vous avez des préférences en dehors de vos fonctions, excercez-les. Vous développerez les qualités nécessaires au succès si vous vous mettez à aimer volontairement vos occupations jusque-là fastidieuses. Certes, si vous pouvez choisir une carrière, prenez celle que vous aimez le mieux et à laquelle correspondent vos aptitudes. Vous aurez ainsi la vie plus large et plus complète, et vous vous identifierez au maximum avec votre vrai moi. Vous deviendrez vous-même, le meilleur de vous-même.

Amour du métier et maîtrise

Mais, quelle que soit la profession que vous exerciez, il faut que vous deveniez un as, c'est-à-dire que vous consacriez à votre métier toutes vos facultés à la fois, pour faire mieux que les autres et chaque jour mieux que la veille. Il faut élever votre profession au niveau d'un art ; vous passerez *maître* dans cet art. Voilà le résultat que vous obtiendrez, si vous avez l'amour du métier ; jamais vous ne verrez réussir une personne à laquelle sa profession déplaît. Si vos occupations actuelles ne vous plaisent pas, apprenez à les aimer systématiquement ; elles vous serviront de marchepied pour atteindre la vocation que vous aimez naturellement.

Amour et excellence

Ceux qui réussissent dans une carrière doivent leur succès à ce qu'ils ont réalisé l'*excellence,* c'est-à-dire à ce qu'ils sont devenus *des as* ; ils sont arrivés à faire mieux que les autres et chaque jour mieux que la veille. L'excellence peut résulter d'une prédisposition géniale innée, mais aussi d'une longue application. Pour réaliser l'excellence, faites avec perfection tout ce que vous faites ; si, actuellement, il y a des milliers de pauvres travailleurs qui n'obtiendront jamais qu'un maigre salaire, c'est parce qu'ils n'ont pas aimé l'*excellence* ; ils n'ont pas mis d'amour dans leur travail. Il n'est pas un seul grand établissement, industriel ou commercial, au monde, qui ne cherche d'excellents collaborateurs. Tout individu qui a pratiqué son métier avec amour atteint l'excellence dans son art ; il est certain d'être recherché, car il vaut son poids d'or. Ne croyez pas à la justesse des réclamations de maigres salariés qui récriminent contre leur sort et s'étonnent qu'ils ne puissent s'élever au-dessus de lui. Ils se croient le jouet de la destinée, ils se plaignent de la mauvaise chance et accusent l'injustice de leur chef. À tous ces êtres ignorants, il faudrait faire savoir que l'amour de l'excellence conduit à la liberté et au succès.

Soyez sympathique

Succès, gloire et opulence sont le prix dont le monde entier paye l'*excellence.* Il ne suffit pas d'avoir de la valeur, direz-vous, il faut que cela se sache, et que les qualités soient appréciées de tous. *Oui !* Pour réussir, il faut que vous deveniez un être attractif, sympathique, que vous inspiriez confiance. Il faut savoir vous faire obéir, en un mot, il faut acquérir le « magnétisme personnel ».

Comment y arriverez-vous ?... En étudiant votre apparence, votre attitude, vos manières. Prenez l'habitude de faire tout avec perfection et chaque jour avec plus de perfection. Vous aurez ainsi d'excellentes manières, vous serez distingué, vous vous tiendrez correctement, votre mise sera impeccable et simple votre vie morale, votre caractère sera doux et ferme, votre corps sera sain, votre cerveau fonctionnera grâce à une bonne hygiène physique et morale, votre esprit sera équilibré et puissant. Vous serez bienveillant et aimable avec chacun. Vous chercherez à faire plaisir dans la mesure de vos forces et de vos moyens. Même si vous n'êtes pas spécialement bon au début, vous le deviendrez fatalement. La bonté du coeur est un des éléments essentiels de la maîtrise. La bonté pour les animaux nous gagne leur confiance et leur attachement. La même observation s'applique dans vos relations avec votre famille, vos collègues et avec tous ceux qui sont en contact avec vous. Toute personne qui éprouve des sentiments de bienveillance pour autrui possède un pouvoir attractif qui la rend agréable.

L'élan du coeur

Gardez-vous d'être froid, pontifiant, maussade ou timide. Au contraire, entretenez à l'égard de chacun l'élan de votre coeur. Si vous serrez la main d'un ami, serrez-la fortement, chaudement, d'une façon bienveillante et cordiale. Soyez aimable avec tout le monde, même avec les plus humbles. Vous ne vous figurez pas quelle force, quelle puissance vous acquerrez ainsi vis-à-vis des autres. L'amour, la bienveillance, la sympathie que vous dégagez vous attirent non seulement le succès social et matériel, mais aussi la santé ; tous les sentiments bienveillants sont favorables au fonctionnement de vos organes. Au contraire, les sentiments malveillants fabriquent, dans votre organisme, des poisons défavorables à votre santé. La haine et la colère nuisent à la digestion et à l'assimilation. La bonne humeur et les sentiments amicaux entretiennent le bon état des organes. La haine, la jalousie, l'irritation, l'envie, tous les mauvais sentiments créent des désordres nerveux ; que vous soyez en contact avec des amis, des camarades ou même des étrangers, que vous soyez en contact avec un fournisseur, un client, ils doivent toujours sentir une profonde bienveillance et une cordiale sympathie. Placez ces sentiments dans vos paroles de bienvenue, dans vos poignées de mains, dans l'expression de votre figure ; vous acquerrez ainsi une personnalité sympathique, harmonieuse, influente ; vous augmenterez vos réserves de vitalité ; vous rendrez votre santé plus stable, plus vigoureuse, vous réussirez mieux et rendrez votre succès dans la vie plus rapide, plus important.

L'amour désintéressé

Un ami de Paul Nyssens disait : « Pour vous décider à aimer vous faites appel à l'intérêt personnel ; or, l'amour intéressé n'est plus l'amour. »

« Certes, ajoute Nyssens, cet ami avait raison ; mais l'observation montre que chez la majorité des humains l'intérêt personnel prédomine. En réalité, il faut qu'il en soit ainsi. La nature vous a assigné, comme premier devoir, de prendre soin de vous-même ; obéissant à ce devoir, vous évitez de tomber à la charge des autres. D'ailleurs, tranquillisez-vous : plus l'amour est désintéressé, plus il vous attire les bienfaits de la nature ; n'en déplaise à votre âme timorée, il vaut mieux regarder en face la vérité. Aimez d'une façon désintéressée, tant que vous voudrez, mais vous ne pourrez pas empêcher que cet amour se réfléchisse sur vous-même et vous en fasse bénéficier. »

De quelques suggestions

Entraînez-vous donc à aimer tout ce que vous faites, à aimer vos semblables, à aimer vos actions, quelles qu'elles soient. Ne soyez jamais ironique, ne taquinez personne.

Aidez-vous par des autosuggestions à haute voix.

Je reproduis ici celles de Paul Nyssens ; une seule suffit pour une ou deux semaines :

« Je suis patient et indulgent. Je suis bon, affable, compatissant. »

« Je me réjouis du bonheur et du succès des autres. »

« Je ne me vante jamais ; je ne veux humilier ni amoindrir personne. Je mets en valeur les mérites des autres. »

« Je ne me montre jamais vaniteux ni suffisant. Mon seul but doit être au contraire de faire sentir aux autres ce qu'ils ont de bien en eux. »

« Je suis doux, réservé, poli, aimable avec chacun. »

« Ma préoccupation constante sera de m'intéresser à mes semblables, à mon ambiance. »

« Je ne suis pas susceptible. Je prends tout en bonne part ; si une parole paraît blessante, de deux choses l'une : ou celui qui lance cette attaque est un imbécile et je n'en tiens pas compte, ou c'est une personne intelligente et je lui montre que je suis plus fort qu'elle, car je garde le calme, la bonne humeur, en dépit de ses critiques ou de ses railleries. »

« Jamais je n'accumulerai les griefs contre qui que ce soit. En revanche, j'accumulerai, dans ma mémoire, le souvenir des marques d'amitiés, les bonnes paroles, les services, les bienfaits que j'ai reçus. »

« Mes affections sont plus grandes que mes vicissitudes. »
« J'aurai toujours confiance en ceux que j'aime. »
« Mon espoir est permanent. »
« Ma patience est illimitée. »
« Mon amour est ferme et sûr. »

Chapitre 17

Souris au monde, il te sourira

À la recherche du bonheur

Si l'homme a besoin de bonheur, il ne possède pas le sens qui lui permet de discerner les moyens de l'atteindre. Si chacun se dirige à sa guise, l'instinct l'entraînera vers le plaisir, qui est le contraire du bonheur. L'ouvrier va au cabaret jouer aux cartes dans une atmosphère enfumée ; l'enfant se bourre de gâteaux et de chocolats ; les jeunes gens passent leurs soirées dans les discothèques ; quant à la plupart des adultes, s'ils cèdent à la voix de leurs instincts, leurs habitudes les conduisent à une vieillesse prématurée et deviennent les causes de déchéances physiques et morales.

Le plaisir n'est pas le bonheur ; rechercher le plaisir c'est courir au devant des déceptions et de la misère.

Où est le vrai bonheur ?

Le vrai bonheur consiste à être content de tout, à ne voir que le beau côté des choses, à ne dire de mal de personne, à se montrer bienveillant vis-à-vis de tous, à ne critiquer, jalouser ni envier qui que ce soit, à accepter les événements sans maugréer, à montrer toujours un visage souriant et à chercher à répandre la joie autour de soi. On pourrait objecter à cette formule que la possession du bonheur consiste à se faire illusion. Non ; ce n'est pas se faire illusion ; car ce procédé amène le bonheur réel. Quel est, en effet, notre but ?

La santé, le succès et la joie qui en résultent. Eh bien ! tous les sentiments négatifs : haine, jalousie, inquiétude, agitation, plaintes, détruisent l'harmonie de nos fonctions physiques et ruinent la santé. Tandis que l'attitude bienveillante et souriante attire la sympathie, la protection des forts, le concours enthousiaste de ceux qui nous entourent et finalement nous assure le succès. Cette attitude développe en nous-même l'enthousiasme, la foi, la confiance, conditions indispensables au succès dans les entreprises. Certaines personnes ont naturellement cet état d'esprit ; elles l'ont par santé, par éducation, par influence de leur ambiance ; c'est le meilleur héritage que les parents puissent donner aux enfants. Mais ceux qui ne le possèdent pas naturellement (inconscient) doivent et peuvent l'acquérir ; ils doivent l'acquérir sous le contrôle du *conscient*.

L'entraînement au bonheur

Il faut s'entraîner au bonheur et à l'optimisme, comme on s'entraîne à tous les exercices moraux et physiques. Les éducateurs et les parents feront bien d'entraîner les enfants à être gais, contents et heureux, de les habituer à voir systématiquement le beau côté des choses; chercher à les intéresser à tous les phénomènes de la nature ; leur donner *l'habitude du bonheur, de la gaîté et de la joie* pour préparer leur bonheur futur.

Une légende espagnole

Je me souviens d'avoir lu, en 1919 ou 1918, une brochure de Camille Fieux intitulée : « Vers la Joie ». Elle contenait une certaine légende espagnole : « Le Miroir du moine ». Je ne me souviens plus de la forme du conte mais le fond est resté gravé dans ma mémoire ; je vais tâcher de le reproduire le mieux possible.

Au XVe siècle, vivait à Valladolid un jeune hidalgo nommé Don Quirido. Il avait le coeur chaud, facile à embraser, un coeur de Castillan. L'ardent jouvenceau vint à rencontrer une charmante jouvencelle aux yeux de braise. Aussitôt il prit feu. La coquette, de son côté, se plut à attiser la flamme. Elle l'attisa jusqu'au jour maudit où, croisant seigneur de plus haute importance, elle fit la pirouette, sans la moindre révérence.

Don Quirido en conçut tel dépit et tel chagrin, qu'il songea sérieusement à se donner la mort. Un ami se trouva fort à propos pour l'en empêcher et lui persuader qu'il devait se contenter de mourir au monde. Il s'en fut au fond d'un cloître, le plus silencieux et le mieux gardé de toutes les Espagnes.

Dans l'air confiné, le brasier s'éteignit et le calme semblait revenir. Don Quirido le constatait, il en éprouvait un soulagement.

Cependant Don Quirido était triste, car tout était triste autour de lui. Il ne rencontrait que visages austères et regards sévères. Un soir qu'il était plus triste encore qu'à l'ordinaire et se laissait aller jusqu'au désespoir, un ange radieux lui apparut :

« Don Quirido, calme-toi, lui dit-il. Tu peux retrouver la joie sur terre et te l'assurer dans les cieux. Rien n'est plus facile. Je puis t'offrir le talisman. Promets-moi simplement de te conformer pendant six petits mois au précepte que je t'indiquerai. »

— Bel ange du bon Dieu, je te promets d'avance tout ce que tu voudras. Je suis sûr de moi, car j'ai la ferme volonté de tout faire pour sortir de cet état qui assombrit ma vie.

Souris au monde

L'ange lui tendit un miroir :

— Sache, lui dit-il, que ce miroir est semblable au monde,

qui, lui aussi, se borne à nous renvoyer l'image que nous lui présentons. Tu te plains que le monde te fasse triste figure. Regarde-toi : as-tu l'air gai et aimable ?... Souris et le monde te sourira.

Le jeune moine sourit. L'ange continua :

— Don Quirido, fais-moi le serment de sourire ainsi chaque matin devant le miroir, de conserver ton sourire tout le long du jour pour le provoquer autour de toi.

Don Quirido fit le serment et s'endormit plein de confiance.

Dès l'aube naissante, il se réveilla l'âme épanouie et chanta avec les oiseaux. Ses voisins de cellule n'en croyaient pas leurs oreilles. Qui donc osait ainsi troubler la paix austère du cloître ?... Le prieur, prévenu de cette crise de dissipation, descendit et rappela le frère aux règles sévères du couvent.

— Mon Père, dit Don Quirido, la joie divine emplit mon coeur, je chante des hymnes au Seigneur, car je suis heureux qu'il m'ait donné la vie.

À dater de cette heure, le jeune moine montra sans cesse un visage rayonnant. Durant les courts moments de liberté, il épanchait son âme joyeuse parmi les moines. Par ses récits et par ses leçons, il leur montrait toujours le côté aimable et agréable des êtres et des choses qui les entouraient. L'existence devint tout autre. « La bonne dame de liesse » était entrée au couvent.

Un mois plus tard, tout le monastère rayonnait, chantait, remuait et exprimait la joie, une joie débordante... et vertueuse. Le prieur, inquiet de cette exaltation grandissante, convoqua le Chapitre et déclara qu'il fallait se débarrasser de Don Quirido. Malheureusement, il lui fut impossible de préciser un grief sérieux contre le jeune moine, dont la piété était sincère et la docilité parfaite. Pour contourner la difficulté, un des pères conseilla de l'envoyer au couvent de

Palencia ; or, c'était un couvent dont la réputation d'austérité dépassait celle de tous les monastères. « Là, déclara-t-il, Don Quirido sera bien forcé de déchanter. »

La joie est contagieuse

Il avait compté sans le pouvoir contagieux de la joie et du sourire. Don Quirido égaya le monastère à tel point que Palencia faillit en perdre sa renommée. Le prieur inquiet prit conseil du grand Inquisiteur alors en tournée. Celui-ci, personnage cruel et sombre, fit comparaître Don Quirido. Il lui reprocha sa jovialité indécente. Le moine lui répondit que la religion de Jésus-Christ était une religion d'amour, que le fils de Dieu n'avait jamais prêché la tristesse et que le spectacle du monde offrait une telle harmonie de splendeur et de beauté qu'à moins d'être aveugle, on ne pouvait s'empêcher d'être transporté d'admiration et d'allégresse en le regardant.

L'Inquisiteur, furieux, déclara que ces paroles étaient un blasphème et que Dieu n'avait exigé que des actes de contrition. Le moine fut condamné comme hérétique et livré au bourreau pour être brûlé vif. Afin d'impressionner les autres religieux, ceux-ci furent conduits au lieu du supplice. Don Quirido parut en chantant à pleins poumons. L'état de félicité qui rayonnait de son être se communiqua, et les moines, en choeur, joignirent leurs cantiques aux siens. Quand le bûcher flamba, onze d'entre eux se jetèrent dans les flammes pour délivrer le « juste » ; les onze périrent !

Le Grand Inquisiteur éprouva une rage si profonde qu'il mourut sur-le-champ. Son âme arriva au seuil du Paradis en même temps que celles de ses victimes. Saint Pierre allait leur ouvrir la porte toute grande, mais l'Inquisiteur osa protester : d'un ton et d'un geste qui n'admettaient pas de réplique, il intima aux religieux d'avoir à se diriger vers l'enfer.

Saint Pierre, impressionné par la haute personnalité de l'Inquisiteur, entrebâilla pour lui seul la porte céleste, tandis que les douze moines se dirigeaient vers le lieu des peines éternelles. Ils s'y dirigèrent en chantant et chantaient encore après avoir franchi le seuil de l'antre où l'on n'avait entendu jusque-là que pleurs et grincements de dents.

Les démons les accueillirent avec des regards pleins de haine et s'apprêtèrent à les torturer. Mais les supplices infernaux n'eurent d'autre résultat que de les faire sourire et chanter davantage. Leur gaîté paralysa la méchanceté des démons, leur hilarité les gagna. Bientôt les éclats de rire des diables et des damnés remplacèrent les sanglots et les gémissements. Moines et démons formèrent une farandole gigantesque et joyeuse à laquelle se mêlèrent tous les damnés. L'enfer cessa de retentir de blasphèmes pour ne plus résonner que d'Alleluia, de Te Deum, d'Hosanna et de Magnificat. Seul Satan, l'éternel maudit, voyant ses proies lui échapper, écumait de rage. Il voulut s'opposer à ce délire d'allégresse, mais, trop faible pour résister au nombre, il n'eut d'autre ressource que de s'embusquer derrière un de ses fourneaux, la tête dans les mains pour ne rien voir et ne rien entendre ; sinon la contagion eût pu le gagner lui-même.

Du haut du Paradis, les saints, surpris d'entendre ces sons joyeux qui s'élevaient des profondeurs de l'abîme infernal, se penchèrent hors de la voûte céleste. Ils se penchèrent tant et si bien qu'un grand nombre d'entre eux, pris de vertige, tombèrent dans l'enfer. Quel fut leur étonnement de voir que, dans le lieu maudit, tout était amour, joie et splendeur ! Ils en furent touchés et volèrent vers le Paradis, pour supplier Dieu de rappeler vers eux les hôtes infernaux si dignes des joies célestes et éternelles.

Répands la joie autour de toi

« Je leur pardonne, dit le Bon Dieu, la joie et l'amour les ont purifiés ! » Mais, se tournant vers le Grand Inquisiteur : « Quant à toi, je te condamne à faire un séjour chez Satan ; dans la solitude et le silence, en face de ce grand diable noir, ricaneur sans entrailles, tu méditeras mes paroles. En vérité, je te le dis, la vertu est toujours aimable et aimante. Si tant d'hommes lui préfèrent le vice, qui, sous des attraits riants, ne rapporte finalement que chagrin et misère, c'est parce que toi et tes pareils voulez toujours réprimer les joyeux élans de la vertu et la contraindre à porter le masque lugubre qui cache sa véritable physionomie et la pureté de son sourire conquérant. En vérité, je te le répète, le jour où la joie et l'amour régneront sur la terre, le mal aura cessé d'exister. »

Chapitre 18

Si tu veux acquérir l'estime des autres, tu dois pouvoir t'estimer toi-même

Pas de sentiments dépressifs

Votre âme peut être envahie par des sentiments négatifs et dépressifs : timidité, agitation, nervosité, angoisse, crainte, regret, inquiétude, jalousie, envie, impatience, etc. Au contraire, elle peut être illuminée par des sentiments positifs : entrain, enthousiasme, amour, gaieté, bienveillance, optimisme, joie, qui entretiennent la santé, le succès et le bonheur.

Vous devez entraîner votre esprit à ne donner asile qu'aux sentiments positifs et à ne jamais accueillir les sentiments négatifs. Si vous vous entraînez à cette rééducation de vous-même, veuillez lire les lignes qui vont suivre, pendant des jours, des semaines et des mois. N'y manquez pas un seul jour, et le résultat sera toujours satisfaisant.

Rendez-vous compte que vous êtes quelqu'un

Vous devez développer votre personnalité, c'est-à-dire la magnanimité, la pondération, l'équilibre, l'estime de soi ; vous devez apprendre à commander et à obéir ; commander aux autres et obéir à vos principes. Rendez-vous compte que vous êtes quelqu'un, que vous êtes bien doué et que, pour mettre en valeur les dons supérieurs que vous possédez, il suffit de les exercer et de les manifester.

Pour les sentir, il faut exprimer les signes par lesquels ces dons se traduisent chez les autres. Il faut que vous parliez et que vous agissiez comme si vous les possédiez.

De cette façon, vous développez votre influence sociale.

Dans votre carrière, choisissez les situations de commandement. Aimez les responsabilités ; prenez toujours une attitude correcte, forte, autoritaire, calme et sûre de soi. Surveillez votre habillement, votre attitude, vos gestes, votre voix, vos paroles. Ne faites rien qui ne soit juste, vrai et bon. Par conséquent, toute action que vous exécuterez, toute parole que vous prononcerez, sera nécessairement l'expression du bien et de la vérité.

Vous parlerez toujours avec conviction, de telle sorte que ceux qui vous écoutent soient convaincus. Ainsi vous posséderez « le magnétisme personnel », c'est-à-dire le don d'attirer et d'entraîner.

Résultats

En exécutant les conseils ci-dessus, vous acquerrez la confiance en vous-même ; vous pourrez en toute circonstance vous prendre pour unique conseiller. Vous déciderez chaque chose sans hésitation. Vous ne connaîtrez plus la timidité, l'agitation, la nervosité. Jamais vous ne serez touché par la *tempête mentale,* faite d'une masse de pensées parasites et funestes : regret, crainte, envie, etc. Vous ne craindrez plus la responsabilité et vous la chercherez ; ainsi vous deviendrez un leader.

Entraînez-vous

Celui qui n'a pas l'impression de sa propre supériorité doit, pour l'acquérir, agir, parler et prendre l'attitude d'une personne supérieure aux autres.

Vos actes sont l'expression de vos pensées, de votre moi intime.

Vous devez respecter tout ce qui vous appartient ; vos vêtements, vos meubles, vos objets doivent être classés, ordonnés, conservés, entretenus. Vous devez vous faire une haute idée de votre caractère, de votre intelligence et de votre santé. Vous prendrez l'habitude d'accomplir toute chose avec correction, même si vous n'êtes vu par personne. Votre conduite, même inconnue de tous, sera toujours celle d'une personne d'honneur. Vous devez tout respecter : vous-même, les autres, votre entourage, votre conjoint, votre famille, votre métier, votre pays, votre gouvernement, votre religion, votre situation sociale ; jamais vous n'exprimerez le moindre sentiment d'ironie ou de critique amère.

Réfléchissez bien à la signification précise des mots suivants : valeur, grandeur, importance, loyauté, dignité, justice, vérité. Pensez à ces qualités jusqu'à ce que vous soyez devenu conscient de les posséder.

Ne prononcez jamais une parole négative ou déprimante telle que : « Je suis faible », « Je suis sans importance », « Je suis un modeste individu ». Au contraire, parlez comme si vous pensiez : « Je suis fort », « Je suis important ».

Se croire grand c'est déjà l'être

Toute personne qui veut grandir et évoluer est importante ; elle doit le croire, si elle veut que les autres le croient. *Se croire grand, c'est déjà l'être.* Fiez-vous à vous-même, à la puissance de votre voix, de votre jugement, de votre conviction, de votre décision.

Dites-vous bien que vous êtes un surhomme et que tout ce que vous faites, toutes les paroles que vous dites sont d'un surhomme.

Ne vous occupez pas de l'opinion des autres ; soyez indifférent à leurs louanges autant qu'à leurs critiques. Votre opinion personnelle suffit.

Considérez que la plupart des gens sont incompétents. Pour vous convaincre de votre supériorité, constatez qu'au lieu d'agir comme les autres, au gré de vos caprices et du mobile présent, vous agissez toujours d'une façon raisonnée. L'homme qui boit ou mange trop, se tient mal, s'habille mal, manque de tenue dans son langage ou dans ses actes, s'excite ou s'emballe facilement, s'énerve et prononce des injures ou des mots d'argot, cet homme ne possède pas le contrôle de lui-même. Il vous est donc inférieur, car *vous*, vous contrôlez vos actes et vos paroles. Vous agissez conformément à un plan et à un programme. Vous vivez comme un sage. Le sage ne connaît ni tempête, ni orage. Sa vie est volontairement et consciemment calme. Voyez ce but fixement et poursuivez-le sans hésiter. Ainsi, vous restez calme, tenace, confiant dans le succès. Rappelez-vous que l'autosuggestion est à la base de la rééducation de soi-même.

Autosuggestions applicables

Aidez-vous, dans cette voie de la rééducation, par les autosuggestions suivantes :

« J'ai le sentiment de ma personnalité, qui réalise : loyauté, pondération et équilibre. J'ai l'instinct et le devoir du commandement, qui tient à la largeur de mes idées et à ma valeur personnelle. Je sais gouverner mes propres affaires et sais me gouverner moi-même. Je suis né pour les affaires importantes et suis doué de dons supérieurs. Je dois ces dons à la nature, à mes parents, qui m'ont légué les qualités qui font la largeur d'esprit et la noblesse du caractère. Je possède, en germe, une grande influence sociale. Je peux gouverner et je veux diriger les autres. Je veux me gouverner moi-même. Je puis me commander, car mes pouvoirs sont grands. J'obéis moi-même d'une façon rapide, immédiate, à la voix intime de commandement qui existe en moi. Mes paroles font loi. J'ai de l'influence sur les autres, car je suis fort. J'agis avec calme, je parle avec calme, j'ai l'attitude d'une personne calme. Comme tous mes sentiments sont nobles, j'agis noblement. Quand je prends un conseil en dernier ressort, c'est uniquement de moi-même : je réfléchis et je me décide sans aucune hésitation. J'observe ma démarche, mes attitudes, mes mouvements, ma voix, mon accent. Je me respecte moi-même, donc je suis respecté. Ma santé est vigoureuse ; je suis résistant et plein de vitalité. Je respecte ce qui m'appartient ; j'apprécie ma voix, mon caractère, ma personne, ma santé, mon âme. Je respecte ma famille, mes parents, mes compatriotes, l'humanité, mes amis, mon personnel, mes objets. Je ne fais que ce qui est bien. Tout en moi est digne : ma personnalité, mon travail, mon maintien, mes manières, mon apparence, mes habitudes, mes principes. Je suis une personne de valeur, parce que j'ai la volonté, l'énergie, l'esprit de continuité, d'ordre et de jugement. Je veux en toute chose l'intérêt des autres et ne fais rien qui soit contraire à l'intérêt des autres. Je veux que tout le monde me prenne en considération, mais je ne me soucie pas du jugement des autres. Ni la flatterie, ni les compliments, ni les critiques ne m'influencent. Je n'attache d'importance qu'à ma propre opinion. Je suis satisfait de moi-même, car je fais mieux chaque jour, parce que je fais tout ce qui est juste, tout ce qui est bien. Quels sont d'ailleurs les gens qui me critiquent ?... Des personnes qui n'ont aucun contrôle sur leurs nerfs, qui se tiennent mal, rient aux éclats, prononcent des paroles grossières ou d'argot, flattent, injurient les autres, s'irritent. Ce sont donc des individus sans valeur. Je suis le contraire de ce qu'ils sont ; c'est moi qui ai raison ; leur opinion m'est indifférente. Je suis un sage et, comme tel, j'ignore les orages, les tempêtes de l'âme. J'aime les responsabilités, car je suis capable d'en prendre et de mener à bien ce que j'entreprends. Jamais je ne cours à droite et à gauche sans auto-contrôle. Je vais toujours droit au but. »

Chapitre 19

De l'influence de l'attitude sur les gens et les événements

Attitude et personnalité

Entre le simple ouvrier et le grand industriel, entre l'instituteur de village et le professeur à la Sorbonne, il s'est produit, au début de la vie de chacun, cette seule différence : le premier a dit : « Je serai instituteur » et le second : « Je serai un grand maître de l'université. » Même phénomène pour tous ceux qui ont occupé un degré quelconque de l'échelle sociale ; seule la pensée les a élevés ou arrêtés dans leur ascension. L'un a adopté l'attitude modeste, humble, d'ouvrier, d'employé ou de petit fonctionnaire. L'autre, dès le premier jour, a pris l'attitude d'un grand homme. L'attitude a suffi pour donner à l'un et à l'autre leur personnalité. Surveillez donc votre attitude physique et mentale ; adoptez celle que vous voulez ; les gens et les événements se mettront en harmonie avec elle. Le monde, la vie, les événements sont neuf fois sur dix l'expression de notre inconscient. Il faut donc cultiver notre inconscient.

Ne faites pas grise mine

Si vous n'êtes pas content de votre sort actuel, changez votre attitude et, autour de votre personne, tout changera avec elle. *Le monde est un miroir dans lequel vous vous réfléchissez vous-même. Si vous souriez, il vous sourit ; si vous lui montrez un visage désagréable, il vous fait grise mine.*

Le temps est sombre, mettez des lunettes jaunes et tout vous paraîtra doré. Vous êtes vêtu de vêtements usagés, votre toilette est négligée, vos chaussures et votre chapeau vous siéent mal ; vous le savez ; alors vous prenez une attitude penaude, humble, vis-à-vis des gens habillés correctement et avec goût. L'attitude du général est différente selon qu'il est en tenue ou en civil ; elle est différente pour lui-même et pour ceux qui lui parlent et l'observent.

Regardez les gens en face

Vêtez-vous correctement, soignez votre chevelure, votre visage, vos vêtements ; tenez-vous droit, regardez les gens en face ; cette attitude correcte entraînera immédiatement l'attitude respectueuse des autres. Prenez vis-à-vis d'eux l'attitude active, positive, et ils adopteront inconsciemment vis-à-vis de vous l'attitude passive, réceptive.

Attitude dominatrice

Si vous changez votre attitude, les événements extérieurs et les gens modifieront leur attitude par rapport à vous. Observez l'aspect d'un homme qui, surpris par l'orage, est percé jusqu'aux os ; comparez-la à celle de l'homme qui, par un temps de pluie, sort avec un vêtement et des chaussures imperméables. Le premier prend l'attitude négative, inharmonique, vis-à-vis des éléments ; le second, au contraire, paraît les dominer. Vous pouvez, à votre choix, vous laisser tremper par la pluie ou opposer à l'orage un manteau de cuir confortable.

Observez un champion de boxe ou de tennis au moment où il arrive sur le ring ou sur le court. Il a l'attitude du gagnant ; il est sûr de lui, son succès est à moitié assuré avant de prendre le gant ou la raquette ; cette attitude accroît sa force, elle influence son adversaire et les spectateurs.

Assurance de vaincre

Le monde varie avec votre attitude. Je vous ai dit que, pour conquérir le monde, il fallait être un « maître ». Le maître est celui qui soumet à sa volonté les événements ou s'adapte à eux ; lui seul est libre et indépendant. Voulez-vous soumettre les événements à votre volonté ?... *a)* Dominez-vous vous-même ; *b)* mettez-vous en harmonie avec le monde. Il faut exprimer le « vrai moi ». Je m'explique : vous avez en vous, par hérédité, le germe de toutes les qualités et de tous les défauts. Laissez dormir vos défauts héréditaires et ne développez que vos qualités. Celles-ci ne sont pas dues seulement aux parents, mais aux nombreux ancêtres qui vous ont précédé. Vous avez toutes ces qualités à l'état de germe ; il suffit de les exprimer, de les entraîner, de les développer. Or, vous sentez très bien ce que vous avez de mieux en vous. C'est le « vrai moi », ensemble de qualités que vous possédez par hérédité et par influence ancestrale. Ces qualités, le plus souvent, vous les ignorez. Analysez-vous vous-même ; affirmez que vous possédez ces qualités. Or, ces qualités, il suffit de les manifester, de les exercer, pour qu'aussitôt elles apparaissent comme des forces souveraines. Dès que vous aurez senti en vous les pouvoirs que vous possédez, prenez l'attitude de la personne qui les possède. Cette attitude vous assure une puissance insoupçonnée. La moitié des luttes et des difficultés de la vie seront ainsi surmontées avant qu'elles se formulent, si vous vous reposez sur la calme assurance que vous avez en vous le pouvoir de les vaincre. Vous aurez, dans ces circonstances, l'attitude d'un être libre.

Attitude calme et bienveillante

Si vous écoutez des paroles et des bruits qui vous agacent, vous êtes un esclave ; libérez-vous de ces suggestions, reconquérez votre liberté ; adoptez une attitude indifférente vis-à-vis d'elles ; ne leur accordez aucune attention ; soyez systématiquement bienveillant vis-à-vis des gens, indifférent vis-à-vis des choses ; concentrez votre esprit sur le sujet dont vous vous occupez. Voici comment s'exprime Paul Nyssens à ce sujet :

« Appliquez à vos relations sociales les commandements de Jésus-Christ : aimez vos ennemis, rendez le bien pour le mal. » Cet enseignement du Christ s'adresse à de futurs maîtres et non à des esclaves. Le bienfait qui répond à une injustice force la sympathie et confère la maîtrise. Si vous répondez à la colère par la colère, à l'injure par l'injure, à la haine par la haine, vous subissez une influence mauvaise ; votre liberté est entravée, vous contribuez à envenimer le conflit. Les désordres politiques, économiques et sociaux sont engendrés par la haine. La révolution est le fruit de la haine, la guerre le fruit de la haine, toutes les dissensions politiques sont le fruit de la haine. Dans toute discussion, tout conflit, si vous restez calme et de sang-froid, vous êtes le maître de la situation ; votre attitude calme et juste amènera vite l'apaisement et la fin des hostilités.

Sachez orienter votre attitude

Nous sommes tous candidats à la santé, au bonheur et au succès. *Nous y avons droit si nous utilisons nos pouvoirs naturels.* Or, ce qui est extérieur à vous vous permettra de développer vos qualités congénitales et vous fournira le pouvoir de les cultiver. Le marin qui connaît son métier sait que, pour diriger sa barque vers le Sud, il n'est pas nécessaire que le vent souffle dans ce sens ; il suffit qu'il enfle la voile dans n'importe quelle direction, même vers le Nord : la voile, le gouvernail que manie le pilote et dont il règle les positions, déterminent seuls la route ; la force du vent, qui ferait dériver la barque livrée à elle-même vers le but opposé ou vers la côte semée d'écueils, poussera le marin, avec sécurité, vers le port sûr, si le batelier a pris *l'attitude* nécessaire.

L'attitude joue le rôle de la voile qui mène la barque de la vie. Chaque événement heureux ou malheureux est comme le vent qui la pousse dans le sens où vous l'orienterez.

Attitude inspirée par l'amour du métier

Pour diriger votre vie, commencez par aimer votre tâche, car aucune puissance humaine n'est à même d'alléger le fardeau des classes laborieuses autant que *l'attitude inspirée par l'amour du métier.*

Cette attitude augmente le bonheur et la santé du travailleur ; elle agrandit son succès et lui permet d'atteindre un niveau social supérieur. La bonne volonté rend toute tâche facile et aisée ; que vous soyez ouvrier, patron, employé, fonctionnaire ou artiste, la bonne volonté applique la meilleure de vos forces, la meilleure de vos capacités à l'accomplissement de votre travail ; elle en double les résultats. L'amour du métier élève toute profession à la hauteur d'un art. Sans doute, vous avez des préférences pour certaines vocations ; si vous avez la chance de pouvoir choisir une vocation d'accord avec vos aptitudes et vos instincts, elle contribuera à vous faire réussir immédiatement dans le domaine que vous préférez. Alors votre tâche sera facile.

Mais si les circonstances vous ont fait choisir un métier sans intérêt, il est possible d'arriver à l'aimer. Si vous entreprenez un travail qui vous déplaît, dites-vous sans cesse : « Il faut que j'accomplisse ce travail car j'en retirerai des résultats utiles ; je veux qu'il soit attrayant, de façon que l'exécution en soit parfaite ; il m'entraînera ainsi vers une étape qui me permettra d'adopter plus tard une occupation plus conforme à mes goûts et à mes aptitudes. » Aimez votre travail quel qu'il soit, et votre attitude dépouillera, dans votre tâche, ce qu'elle peut avoir de désagréable ; elle vous délivrera des entraves qui faisaient de vous un esclave.

De l'attitude ferme

Vous devez acquérir un caractère à la fois ferme et souple. Ferme, pour poursuivre votre but sans vous déranger ; souple, pour vous adapter aux circonstances défavorables. Vous devez, en effet, tantôt adopter l'attitude positive, tantôt l'attitude réceptive. Je m'explique : chaque fois que vous appliquez vos forces pour résister à un obstacle, vous devez être actif, positif ; chaque fois que vous êtes en présence d'une circonstance irrésistible, devenez passif et réceptif. Tout événement doit être pour votre caractère une occasion d'entraînement moral. Pour devenir un être positif, ayez toujours foi et confiance dans le succès. Le caractère positif du magnétiseur tient à ce qu'il a foi en son pouvoir ; c'est l'attitude positive du dompteur qui force le lion à se coucher dans un coin de cage.

Ne cherchez pas, chez le dompteur, un pouvoir magnétique quelconque ; les animaux féroces, qui ne semblent pas douter de leur force physique, hésitent à s'emparer de la proie ou à fondre sur l'ennemi, si l'attitude de ce dernier est positive. Le pouvoir de l'esprit est supérieur à la force physique. Inversement, pour vaincre les circonstances, il faut souvent être souple et adopter l'attitude passive qui sera utilisée comme une force.

De l'attitude souple

Paul Nyssens raconte l'histoire d'un homme qui fit un séjour dans une prison. Le surveillant était un agent inhumain qui prenait plaisir à maltraiter les prisonniers. Eh bien ! il trouva son maître dans notre détenu et voici comment :

chaque fois que le surveillant s'approchait de la cellule, le prisonnier prenait une attitude de douceur bienveillante et de soumission, il obéissait de bonne grâce et acquiesçait à tout ce qui lui était demandé. Rapidement, le surveillant fut affecté par la grandeur d'âme de ce prisonnier. Cette attitude réveilla, chez la brute, tout ce qu'il y avait de bon en lui, et quand l'homme fut libéré, cet agent redoutable lui glissa dans la main une pomme comme marque d'amitié ; car le pouvoir de l'attitude, même passive, triomphe là où la force physique est dépourvue de moyens d'action.

L'attitude respectueuse

Dans certains cas, il faut adopter l'attitude passive pour conquérir la maîtrise. La maîtrise est à la disposition de toute personne de bonne volonté. Tout ce qui vous entoure obéit à des lois aussi immuables que la loi de la gravitation universelle. De ces lois, quelques-unes vous sont connues, alors que vous ne pouvez pénétrer le mystère de beaucoup d'autres, mais il est un fait certain, c'est qu'il n'est pas en votre pouvoir de les modifier. Une bonne attitude qui s'impose, c'est le *respect pour l'ordre des choses existant.* Le maître joue son rôle dans le monde ; il prend une attitude passive, réceptive, vis-à-vis de toute influence émanant de ses semblables, ou de sa propre intuition, quand celle-ci l'aide à remplir le rôle qu'il doit jouer. Il a l'attitude positive, dès qu'il a senti la confiance, la foi dans ses capacités. Il se considère comme un rouage nécessaire dans le monde ; il considère les gens qui l'entourent comme d'autres parties essentielles du grand tout ; il a pour eux une disposition bienveillante ; il se dévoue aux intérêts des autres comme aux siens propres. Il ne s'agit pas de se sacrifier pour les autres en se négligeant soi-même ; il faut d'abord diriger sa propre barque en s'occupant des autres.

Occupez-vous de vous-même pour les autres. Vous seriez à leur charge si vous vous désintéressiez de vous-même. Il est superflu de parler d'égoïsme et d'altruisme, lorsque vous adoptez une attitude bienveillante à l'égard de vos semblables et que vous prenez soin de leurs intérêts comme des vôtres.

L'harmonie est parfaite entre le bien-être de ceux qui vous entourent et votre propre satisfaction. Satisfaites donc le besoin d'harmonie que vous possédez naturellement ou par éducation, et son application ne requerra de votre part aucun effort.

Faites taire vos nerfs

Un matin que je faisais ma visite d'hôpital, un malade me dit : « Je n'ai pas dormi, il a fait de l'orage, mon voisin a gémi toute la nuit. »

« Demain, bouchez-vous les oreilles avec des balles de paraffine, lui dis-je, et vous n'entendrez plus rien ; vous vous trouverez artificiellement dans un endroit désert, personne ne vous gênera. Vous ne pouvez pas faire taire les éléments, ni vos semblables ; prenez donc l'attitude nécessaire pour ne pas les entendre. »

Chapitre 20

La concentration, faculté des as

La lumière jaillit

La concentration est la faculté qui crée les as, les surhommes. Elle consiste dans le pouvoir de diriger la totalité des forces psychiques *sur un seul point,* sans se laisser distraire par aucun fait, ni aucune circonstance qui se produit dans l'entourage. Placez une loupe sur le trajet des rayons solaires, dirigez le point lumineux du foyer sur une feuille de papier, elle flambera. Concentrez de la même façon toutes vos forces sur un fait unique, sans distraction, la lumière jaillira. Tout problème qui se présente à l'esprit sera résolu en quelques minutes de concentration.

Présence d'esprit

Les actions rapides et efficaces, les décisions instantanées, les manifestations de « la présence d'esprit » sont simplement les réflexes préparés par des actes antérieurs qui, eux-mêmes, ont été exécutés avec concentration.

Si vous voulez *réussir,* atteindre les plus hauts degrés de l'échelle sociale, apprenez à canaliser votre attention, vos pensées, vos sentiments, vos désirs, votre volonté, concentrez-les comme les rayons solaires, sur un point unique. *« L'unité du but permet l'unité du commandement, et l'unité du commandement mène à la victoire. »*

Les sujets qui acquièrent de hautes situations, dans n'importe quelle branche de l'activité humaine, sont des esprits capables de se *concentrer.* À celui qui les observe au travail, ils paraissent exécuter toute action sans effort, car l'entraînement paraît avoir développé la concentration au point de la rendre spontanée.

Comment réaliser l'entraînement progressif de la concentration ? Commencez tout de suite, exercez-vous toute la journée ; quel que soit l'acte que vous exécutiez, quelle que soit l'idée à laquelle votre esprit s'applique, donnez-lui votre attention entière.

Exemples

Il est des écoliers, des étudiants qui produisent en deux heures un travail que leurs camarades exécuteraient péniblement en quatre heures.

Il est des personnes qui, en présence d'une difficulté à résoudre, réfléchissent un quart d'heure et trouvent la solution. Il est des avocats qui commencent à étudier leur dossier une heure avant de partir pour l'audience. Il est des chirurgiens qui, avant de pratiquer une opération grave, se contentent d'examiner le malade pendant dix minutes et qui, au cours de l'opération, sont capables de changer de technique autant de fois qu'un fait nouveau se produit ; ils modifient leur plan sans hésitation, sans réflexion apparente.

L'attention centralisée

Vous me chargez de faire la traduction d'un livre écrit en langue étrangère, je commence mon travail, je fais cette traduction consciencieusement ; je cherche les mots dont je n'ai pas le sens précis ; j'écris lisiblement le texte ; si mon téléphone sonne, je ne réponds pas ; je condamne ma porte aux importuns pour ne pas être distrait de mon travail ; je suis tellement absorbé par celui-ci que rien ne peut me distraire. C'est là, de ma part, de la concentration. La concentration est *l'attention centralisée.*

L'attention éparpillée

L'attention simple peut être *éparpillée.* Vous pouvez faire attention, en même temps, à plusieurs sujets. La lecture d'un nouveau livre, son style, la recherche d'un mot dans un dictionnaire, la recherche d'un autre mot analogue ne nécessitent que de l'attention ; vous faites parfois attention à plusieurs sujets en même temps ; vous suivez ainsi une conversation à bâtons rompus. Vous faites une conférence ; vous êtes plein de votre sujet, néanmoins vous observez l'expression des auditeurs ; vous remarquez l'ami qui arrive en retard ; vous vous demandez si vous ne développez pas trop un passage ; vous êtes attentif, appliqué, mais vous n'êtes pas concentré. Sinon vous parleriez pour vous seul ou pour une seule personne ; aucun des incidents que je vous signale ne serait perçu par vous.

Si vous conservez devant vos yeux le sujet que vous traitez et sans le moindre écart, sans parenthèse, sans digression, alors vous appliquez la concentration. Si dans une causerie, devant quelques personnes à l'esprit mobile, vous ramenez avec persistance la conversation sur un sujet unique, jusqu'à ce qu'il ait été traité complètement, alors vous aurez appliqué la concentration. Vous aurez exercé le contrôle de vous-même et exigé le contrôle des autres.

Introspection et psychanalyse

Attention, application, concentration, auto-contrôle sont donc intimement liés. Il importe, toutefois, de distinguer cette terminologie pour en avoir la conception très nette.

L'application est l'attention concentrée sur une occupation à laquelle vous vous livrez. L'auto-contrôle est la surveillance, la direction de vos pensées et de vos sentiments. L'attention concentrée sur votre état mental, ou *introspection,* est le moyen le plus direct de développer l'auto-contrôle ; l'attention concentrée sur le psychisme d'un autre est la *psychanalyse.* C'est par ce procédé que le psychiatre relève la cause des névroses.

La concentration fait converger toutes vos idées sur un centre, comme vous faites converger les rayons solaires, à l'aide d'une loupe, au foyer lumineux. Pour que le processus de la concentration soit vraiment réalisé et atteigne son efficacité, il faut le prolonger et pousser à fond l'examen de l'objet considéré.

Exemple

Exemple : voici une fleur, vous allez l'examiner pendant cinq minutes, puis vous la décrirez d'une façon complète, *sans la regarder de nouveau.* Vous la prendrez, vous l'examinerez et vous porterez, sur ses détails, toute votre attention. Vous observerez la couleur, le parfum, la forme des pétales, du calice, des organes reproducteurs, etc. Pendant que vous serez ainsi occupé, votre attention sera tellement concentrée sur les organes de la fleur, que cent personnes autour de vous ne parviendront pas à vous distraire. Pendant ces cinq minutes, vous aurez *concentré* votre pensée entière sur la fleur.

Par analogie, vous vous rendrez compte de la manière dont vous devez vous concentrer sur une idée, une décision, un jugement, une formule. Vous étudierez la question sous tous ses aspects. Toute pensée qui se présentera à votre esprit et qui ne serait pas liée directement à l'idée principale qui vous occupe sera écartée immédiatement.

Concentration et génie

Certaines occupations exigent une parfaite concentration et la développent : les mathématiques, par exemple. Vous ne pouvez imaginer un mathématicien occupé à résoudre un problème sans la concentration. Vous figurez-vous un compositeur, un chirurgien, un orateur dénués de concentration ? En quoi l'homme de génie diffère-t-il des autres, si ce n'est par le développement extraordinaire de quelques capacités que chacun possède à un certain degré ?... Le *génie* n'est pas dû seulement à une disposition innée, mais plutôt *à un exercice constant de cette disposition.* Les facultés fortes que l'individu possède de naissance, par hérédité, ont été accrues, hypertrophiées par une application *concentrée et prolongée.* La concentration permet à l'homme de *génie* d'accomplir au cours de son existence ce qu'un nombre considérable de vies ordinaires, associées dans le même but, ne suffiraient pas à réaliser.

Pour développer la concentration, ayez recours à tous les moyens possibles. Étudiez une langue au phonographe, jouez au bridge, aux dames, aux échecs, aux jonchets, aux mots croisés, qui absorbent profondément l'attention.

Qualités concomitantes

La concentration comprend l'usage concomitant de quatre qualités : *attention, auto-contrôle, continuité, persistance.*

L'attention est à la base de la concentration. *L'auto-contrôle* est nécessaire pour gouverner vos pensées et écarter les idées étrangères au sujet. La *continuité* soutient l'attention et évite les interruptions. La *persistance* force l'attention à rester appliquée jusqu'à l'achèvement de l'opération que vous vous êtes proposée.

Si donc vous voulez acquérir cette merveilleuse faculté de la concentration il faut exercer l'attention, l'auto-contrôle, la continuité, la persistance, dans tous les actes de la journée.

Si vous ne savez pas vous concentrer, c'est que ces quatre capacités, ou l'une d'elles, font défaut. Pour les acquérir, il suffit de les exercer d'une façon prolongée. La persévérance, la persistance, la continuité sont la clé du succès.

Les ratés

Si vous faites le recensement des gens « arrivés » dans n'importe quel métier, vous découvrirez que 97% mènent une existence médiocre et que 3% seulement réussissent. Chaque individu raté ou médiocre trouve une explication à son insuccès relatif. Les uns disent que c'est par manque de chance, les autres par maladie ou paresse. En réalité, 97% qui échouent sont des gens qui ne pratiquent ni l'hygiène, ni la concentration, ni l'esprit de suite. Pourquoi ne sont-ils pas concentrés ?... Parce qu'ils appartiennent à l'une des trois catégories suivantes : les *non entraînés*, les *émotifs*, les *apathiques*.

Manque d'entraînement

Les *non entraînés*. Esprits qui possèdent toutes les facultés mentales à un degré suffisant pour pratiquer la concentration, mais qui ne l'ont jamais exercée. Ils ont les dispositions nécessaires, mais ne se sont jamais donné la peine de s'en servir. Avec eux le résultat sera facile à obtenir. La simple lecture de ce chapitre suffira.

Les émotifs

Les *émotifs* sont des impulsifs : chez eux les sentiments, les passions, les appétits ne sont pas endigués par l'auto-contrôle. Il faut que ces personnes développent d'abord la maîtrise de soi, ou auto-contrôle. Comment ? Par l'entraînement au calme. Elles feront, chaque jour, un programme qui régularisera leur vie, se lèveront à heure fixe, se coucheront à heure fixe, s'abstiendront de la lecture de romans passionnants, de spectacles énervants ; elles supprimeront, dans l'alimentation, les excitants : épices, condiments, vin, alcool, café. Elles rechercheront la société des gens calmes, réfléchis et pondérés, ce qui les intéressera peu au début, car les hommes sont ainsi faits : ils recherchent ceux de leurs semblables qui possèdent leurs défauts. Un émotif recherche un agité ; or, un émotif peut, s'il le veut, se concentrer ; il suffit qu'il se passionne pour le sujet qu'il doit étudier ; il devra donc, au début, chercher des sujets qui l'intéressent naturellement. Tout ce qui éveille les sentiments, l'émotion, attire les nerveux ; ils se concentrent alors spontanément. Eh bien ! Il faut les entraîner à se concentrer volontairement sur un sujet qui, au premier abord, ne les excite pas spontanément. Comment y arriverez-vous ? En éveillant leur émotivité sur une face du sujet. Ils appliquent alors leur enthousiasme sur ce point spécial.

Les apathiques

La pire catégorie est celle des indifférents. Leur constitution manque de certains produits glandulaires : thyroïde, surrénale, hypophyse. Leurs facultés affectives, leurs sentiments sont endormis ; leurs désirs sont trop faibles pour provoquer l'action. Il faut stimuler, tonifier ces personnes, leur conseiller la gymnastique respiratoire, la culture physique. Dans leur mentalité, rechercher le point qui éveille leur intérêt, leur curiosité. Chacun a son dada ; il faut éveiller la faculté dormante, avec le dada de l'élève ; certains aiment l'argent, d'autres le foyer, ou la vanité satisfaite. L'éducateur doit rechercher le mobile qui, chez chacun d'eux, servira de levier pour exciter leurs désirs à éduquer les facultés motrices. Le médecin interviendra pour recourir à l'*endocrinothérapie* (combattre les déficiences glandulaires), ou à la *psychanalyse.*

Il y a intérêt à les mettre en rapport avec des gens enthousiastes, énergiques, agissants, pourvu que ceux-ci soient animés de bonnes intentions à leur égard et leur donnent des suggestions utiles. Il faut trouver, pour eux, un animateur qui éveillera leur curiosité intellectuelle, curiosité grâce à laquelle ils arriveront à concentrer volontairement leur attention sur un sujet ou sur un objet quelconque.

Quelques exercices spéciaux vous entraîneront à la concentration.

Entraînement par la lecture

Faites une *lecture courte et bonne.* Lisez lentement ; construisez d'abord les images qui correspondent au texte que vous lisez, sans faire attention au style ; transformez en images ou en idées perceptibles tout ce que vous lisez. Quand vous aurez lu un chapitre aussi court que possible, expliquez-le à un être imaginaire et inintelligent, pour le lui faire comprendre. Vous continuerez ainsi pendant un quart d'heure. Si vous avez l'intention de perfectionner votre style, vous relirez le même texte, une autre fois, en faisant attention uniquement au style. Vous fermerez le livre et, en suivant les images éveillées en vous, vous écrirez le texte sans faire usage de votre mémoire. Vous écrirez chaque chapitre, vous ferez les corrections d'orthographe et de style ; vous recommencerez dix fois jusqu'à ce que vous arriviez à écrire comme l'auteur.

Chaque fois que vous aurez une idée obsédante, une émotion intense, faites des exercices de respiration profonde en comptant 20 pendant l'inspiration et 20 pendant l'expiration ; vous verrez disparaître les obsessions.

Par l'attitude de la statue

Prenez *l'attitude de la statue,* c'est-à-dire celle de l'être détendu et immobile ; elle vous permettra d'acquérir le calme : fermez les yeux, faites le silence, évitez le moindre mouvement ; respirez lentement, faiblement ; chassez toute pensée qui s'offre à votre esprit. C'est le contraire de la concentration, direz-vous ?... Non. Le fait de savoir chasser ainsi toute pensée permet de pratiquer plus aisément la concentration car vous exercez ainsi l'auto-contrôle et vous chassez les pensées parasites.

Par de nouvelles habitudes

Créez *de nouvelles habitudes pour forger un inconscient désirable.* Répétez plusieurs fois le même acte, réfléchissez avant de l'exécuter pour la première fois. Soutenez-vous par l'autosuggestion. Vous devez créer de nouvelles habitudes, pour supprimer les mauvaises, installées antérieurement. Si vous attaquez de front une habitude ancienne, vous éveillez dans le subconscient des oppositions. Soyez diplomate avec vous-même. Laissez vos défauts tranquilles.

Si vous avez un champ à cultiver, pour détruire les limaces et les larves, ne vous donnez pas la peine de les tuer une par une ; élevez sur ce champ des hérissons ou des poules ; les parasites disparaîtront. Faites de même pour vos mauvaises habitudes ; ne vous donnez pas la peine de les déraciner ; créez-en de nouvelles, qui seront autant de forces bienfaisantes, qui absorberont vos défauts. Si vous avez l'habitude d'être émotif, prenez systématiquement l'attitude calme, tranquille, paisible ; si vous vous sentez sur le point de vous impatienter, dites : « Je suis patient, je suis calme » ; prenez l'attitude souriante, en dépit des coups d'épingle qui vous touchent à chaque heure du jour.

Par la continuité

Pratiquez *la continuité.* Commencez-vous à lire un journal ?... Ne le parcourez pas d'un bout à l'autre, mais dites : « Je lirai les têtes de chapitre d'abord, puis un seul article, complet. » Cet article, quoi qu'il arrive, lisez-le jusqu'au bout, même s'il ne vous intéresse plus. Avez-vous décidé de trouver la solution d'un problème ?... Trouvez-la, quoi qu'il arrive. Avez-vous commencé à jouer un morceau de piano ?... Finissez-le.

Contrôlez vos paroles

Ne critiquez jamais qui que ce soit, soyez bienveillant, ne vous critiquez pas vous-même. Ne vous plaignez pas du froid, du chaud, du vent. Ces plaintes vous placent dans une attitude fâcheuse. Tournez votre langue sept fois avant de prononcer un mot. Ne prononcez pas de paroles blessantes, paroles que vous regretteriez. Parlez lentement, nettement, clairement. Vous êtes maître des paroles que vous allez prononcer et esclave de celles que vous avez prononcées.

Contrôlez vos pensées

Contrôlez *vos pensées.* Ne laissez pas aller vos pensées à la dérive. Ne pensez qu'à ce à quoi vous voulez penser ; chassez les idées parasites ; ne rêvez pas éveillé, n'acceptez, dans votre esprit, aucune obsession, aucune inquiétude, aucun regret. Dites : « Je suis heureux, il n'y a pas d'ennuis, il n'y a que des obstacles, tout obstacle peut être surmonté. » Appliquez-vous à toute chose. Vous examinez une lettre ; lisez-la lentement, de façon à bien vous pénétrer de ce que vous lisez dans les lignes et entre les lignes ; ne la parcourez pas rapidement ; sans doute, le contenu de cette lettre est sans valeur, mais peu vous importe. L'essentiel est de vous entraîner. À chaque instant, utilisez le fait présent pour vous améliorer vous-même : vous aurez l'occasion répétée d'avoir plus d'ordre, plus de tenue, une meilleure attitude, une meilleure élocution, un meilleur jugement, un contrôle plus parfait. Répétez-vous : « *J'utilise chaque moment de la journée pour devenir supérieur à ce que j'étais hier.* Je bats chaque mois mes records du mois précédent. »

Et vos discours

Dites-vous que vous avez le temps ; dites-vous : « Je parle peu, je parle bien, j'exerce une influence favorable sur mon ambiance. » Vous dirigerez toujours vos discours en concentrant sur eux votre attention entière, et spontanément, dans une conversation, c'est vous qui la dirigerez ; votre influence sera prépondérante.

Chapitre 21

Applique-toi à faire le mieux possible ce que tu fais

Les personnes soignées

Vous connaissez, parmi vos amis, des personnes habillées avec un goût sûr et impeccable. Leurs cheveux sont bien coupés et bien brossés. Leur linge est propre et leur sied très bien. Costumes, chaussures, gants, tout est choisi avec un goût parfait et rien ne détonne dans l'harmonie de leurs vêtements. L'élégance est chez elles tellement naturelle qu'elle ne frappe pas. Il se dégage d'elles une impression d'ordre, de propreté et de goût sans recherche.

Pourquoi sont-elles ainsi ?... Parce qu'elles se sont *appliquées à leur toilette.* Chaque détail est soigné d'une façon parfaite.

Toute besogne est digne d'application

L'application est la capacité psychique qui permet de faire chaque chose le mieux possible. Si vous taillez un crayon, faites-le aussi bien qu'un dessinateur de profession. Si vous faites un paquet, exécutez-le aussi bien qu'un commis de magasin. Si vous vous habillez, soignez votre apparence.

Pour développer l'application, il faut vous appliquer. Il faut exercer l'application avec un effort persévérant. Commencez tout de suite, en lisant cette leçon, sans distraction. Ne dites pas que tel travail quotidien est indigne d'application enthousiaste. Toute besogne, tout travail qui vous entraîne à monter plus haut, doit éveiller vos aptitudes les plus parfaites. Quand vous faites une chose pour la première fois, faites-la lentement, joyeusement, afin de jeter dès le début les fondements d'une bonne habitude. Évitez, dans le début, les incorrections, les faux mouvements et les faux pas.

Application et personnalité

Si vous prenez l'habitude d'agir ainsi, vous acquerrez des capacités formidables et vous deviendrez un as dans votre profession. Les champions, les animateurs, les surhommes sont des individus appliqués. Ils ont pris l'habitude d'exécuter leur travail en y appliquant toute leur force physique et mentale, en exécutant le moindre détail avec la plus grande attention et le plus grand soin. Chaque acte ainsi exécuté fait acquérir à votre personnalité un degré de plus dans la voie du perfectionnement professionnel.

L'enfant appliqué deviendra un réalisateur

L'élève appliqué, à l'école, est le contraire de l'élève dissipé. Le premier consacre toute son activité à une seule chose à la fois. Le second disperse son attention sur plusieurs idées en même temps. Le premier est à la tête de ses classes. L'autre est mauvais élève.

J'ai remarqué parfois, avec stupéfaction, que dans les écoles, les maîtres ont une grande indulgence pour l'élève dont on dit « qu'il est intelligent, mais distrait », tandis que l'élève appliqué est considéré comme un « fort en thème », comme un simple travailleur doué d'une intelligence moyenne. Quelle erreur de diagnostic sur l'intelligence des jeunes ! L'élève appliqué sera un réalisateur, car il sera compétent et persévérant. Il réussira tout ce qu'il exécutera. La personne appliquée concentre ses forces sur un seul objet. La personne appliquée a le contrôle de ses pensées et de ses actes. C'est une personne consciencieuse que chacun respecte et admire. L'application nécessite, pour s'exercer, un groupe de plusieurs qualités (attention, persévérance, fermeté, conscience) et permet de réaliser, à son tour, un progrès constant.

L'application au travail

Certaines personnes sont douées d'une grande puissance vitale et ont en réserve des forces incalculables. Malheureusement, elles gaspillent ces énergies, car elles ne savent pas les canaliser. Je répète que vos forces doivent être appliquées sous le contrôle de votre esprit et de votre intelligence. Si vous développez l'amour de la perfection dans l'exercice de votre profession, vous éveillerez en vous des capacités latentes, dont la mise en oeuvre vous conduira au succès.

Si vous voulez développer votre force physique ou votre résistance, si vous voulez acquérir une mentalité élevée, développez donc l'application. Elle s'acquerra par l'entraînement. « *Le pouvoir du travail ne s'acquiert que par le travail* » (Charles Wagner).

Surveillez votre tâche

L'occasion vous est offerte par tous les actes accomplis dans une journée, depuis le moment où vous vous levez jusqu'au moment où vous vous couchez. Vous avez, à toute minute, l'occasion de vous *appliquer.* Alors que vous faites de la culture physique, votre toilette, quand vous organisez votre programme, jamais vos pensées ne devront être distraites de l'acte qui vous préoccupe. Ne pensez pas à autre chose. Pour vous appliquer, répétez à haute voix : « Je fais cela avec toute la perfection désirable. »

Surveillez la tâche que vous accomplissez. Surveillez vos mouvements, surveillez votre esprit. Créez, *après réflexion et consciemment,* l'automatisme dans tous vos actes quotidiens. Éduquez vos réflexes. Prenez comme exemple une station d'énergie électrique chargée de distribuer l'éclairage et la force motrice à une ville. Le matériel de cette station électrique, qui est votre système nerveux, a besoin d'un ingénieur compétent, qui est votre esprit conscient. Votre esprit surveillera et dirigera l'usine, pour qu'il y règne une harmonie parfaite et qu'elle fournisse le maximum de rendement. L'esprit agira sur votre organisme avec le maximum d'effet, si vous vous appliquez.

L'*application* est intimement liée à la *concentration.* Cette faculté permet de maintenir toute la pensée, toute l'activité d'une personne sur un seul sujet à la fois sans rien laisser disperser de son énergie.

Application et volonté

L'application suffit-elle pour tout conquérir ?... Non, il faut une autre faculté : la persévérance. Volonté et application ne sont pas synonymes, les deux doivent marcher de pair. Une personne peut avoir une volonté moyenne et cependant s'appliquer très bien à une besogne. Un autre sujet, au contraire, peut avoir une grande énergie, mais ne pas savoir s'appliquer assidûment. Ces deux capacités également indispensables doivent être cultivées simultanément.

Conscience et enthousiasme

Je connais des individus qui accomplissent tous les jours, avec une application régulière, leur tâche quotidienne. Ce sont des consciencieux qui ont, à un certain degré, l'instinct du perfectionnement. Si, à ces mêmes individus, vous demandez une tâche nouvelle, cet effort nouveau, qui nécessite une concentration prolongée sur un travail dont ils n'ont pas l'habitude, fatigue leur énergie, et ils peuvent se rebuter. Ils sont incapables de l'exécuter. Inversement, je connais des sujets qui ne s'appliquent pas à une besogne dès qu'elle est dans leurs habitudes et qui, par contre, consacrent toute leur énergie à un travail nouveau. Ils ont la curiosité du nouveau, l'amour du neuf, de l'inédit et ils l'attaquent avec enthousiasme.

Ces deux sujets différents ont tous deux raison, et tous deux ont tort. Il ne suffit pas d'agir avec la volonté de faire « pour le mieux », pour exécuter une tâche ancienne, ou une tâche nouvelle. Il faut trouver de l'intérêt dans les deux activités. Il faut développer l'enthousiasme par l'autosuggestion.

Le feu sacré

Avant de commencer la réalisation de votre programme, quelle que soit la banalité de la tâche, il faut vous répéter : « Cette tâche est un échelon qui me hausse vers la perfection. Grâce à elle, je vais devenir un maître », et ainsi par l'autosuggestion se développent l'enthousiasme, le feu sacré, agents puissants et magnifiques qui décuplent vos énergies et vous donnent le maximum de rendement et de production.

Pour développer l'enthousiasme, il faut employer les autosuggestions à haute voix et, pour formuler ces dernières, il faut commencer par réfléchir. Vous excitez votre feu sacré en vous rendant compte de la puissance considérable que vous allez acquérir, en utilisant simultanément l'application, la persévérance, l'enthousiasme. Quand vous aurez découvert l'accroissement de vos facultés mentales, vous en concevrez une joie tellement intense qu'une nouvelle dose d'enthousiasme vous entraînera vers un degré plus élevé et un succès plus complet.

Conseils pratiques

En lisant ces lignes, il y a neuf chances sur dix pour que vous disiez : « Il est vrai que je ne me suis jamais appliqué.

J'ai toujours agi en pensant à autre chose et sans consacrer à l'occupation présente toute mon activité, toute mon intelligence, tout mon coeur. *J'en suis incapable.* » Vous vous trompez. Le fait seul que vous lisiez attentivement ce livre montre que vous avez l'instinct du perfectionnement. *Vous possédez l'application en germe :* il suffira de l'exercer pour la posséder véritablement, d'une façon efficace, et pour en tirer le meilleur rendement.

Dites-vous : « Jusqu'ici je me suis peu appliqué et ma réussite est insuffisante. Désormais, je réfléchis à quoi je pourrais m'appliquer ; comment je pourrais réaliser cette faculté puissante qui est l'application. Après réflexion, j'analyse les différents actes de ma journée. Je me rends compte que je puis les exécuter sans distraction et leur consacrer tous mes efforts et tout mon enthousiasme. Cette vie me passionne ! »

Dites-vous ensuite : « Je suis décidé à exécuter chaque acte de ma journée avec la plus grande perfection. Je choisirai une ou deux sortes d'actes, ceux qui se répètent plus souvent que les autres, parce que je veux être sûr de réussir. Dans quelques semaines, quand j'aurai acquis l'habitude de cette nouvelle méthode, je l'appliquerai à d'autres actes, que j'exécuterai avec la même perfection. »

Si votre rendement professionnel n'a pas été brillant jusqu'ici, cela tient à ce que vous avez douté de votre puissance, et cela parce que, depuis de longues années, vous avez borné vos ambitions.

Persévérance

Qu'il s'agisse de développer vos muscles ou de développer votre esprit, l'exercice persévérant de l'un ou l'autre vous fera obtenir le résultat désiré. Vous développez vos facultés mentales par un exercice persévérant, vous développez vos muscles en les faisant contracter régulièrement. Lorsque, par l'effet de votre volonté, vous obligez ce muscle ou cette faculté mentale à agir de façon suivie, le sang afflue dans le muscle ou dans le centre du cerveau où siège la faculté motrice. Les anciennes cellules sont remplacées par de nouvelles. Ainsi s'hypertrophie le centre nerveux ou la masse musculaire.

Rendez-vous compte, par la réflexion, de la capacité que vous devez acquérir ; exercez-la constamment, en vous aidant des autosuggestions à haute voix : « Je suis appliqué, je fais bien chaque chose et toujours en son temps, j'agis toujours avec *concentration,* je ne pense qu'à une chose à la fois et je lui consacre toute mon attention... »

Mettez tous les actes de votre journée en harmonie avec ces affirmations.

Celui qui ne monte pas descend

Si vous désirez réussir dans votre carrière, dans toutes vos entreprises, appliquez, en toute circonstance, vos meilleures capacités. Si vous avez choisi une profession, prenez soin de ne pas rester cristallisé dans l'état initial. Si vous restez sur place, d'autres vous dépasseront dans la course vers le succès. Tenez-vous au courant de tout ce qui s'écrit, de tout ce qui se fait, de tout ce qui se publie, relativement à votre branche. Étudiez les méthodes nouvelles, appliquez toujours les dernières découvertes et les plus récentes inventions. Les gens qui ne réussissent pas dans la vie ont prêté une attention incomplète à toutes leurs actions et n'ont pas cherché le progrès.

La marche en avant

N'entreprenez rien sans le continuer, car la persévérance est à la base du succès. Nous connaissons des gens qui ont commencé dix entreprises différentes et n'en ont jamais achevé une. Ce sont des ratés. Lorsque vous avez fait des efforts prolongés pour atteindre votre but, lorsque de nouveaux obstacles surgissent et que tout paraît se retourner contre vous, dites-vous que bien des hommes ont perdu courage au moment où ils allaient toucher le but. Dans ces moments de doute, d'hésitation, dites : « Je suis persévérant, je suis patient, j'atteindrai sûrement le but car je suis courageux et énergique... » Pour développer la persévérance, faites-vous une règle de terminer tout ce que vous aurez commencé. Réfléchissez avant d'entreprendre un acte, si minime que soit son importance, ne vous exposez pas à l'abandonner avant son complet achèvement. Dans une conversation, épuisez un sujet avant d'en commencer un autre. Ne faites jamais de coq-à-l'âne. Agissez de même quand vous méditez sur une question qui vous intéresse. Terminez la lecture d'un livre commencé. Persévérez dans la solution d'un problème jusqu'à son achèvement. En voyageant, en vous promenant, adoptez un itinéraire et n'en changez pas. Ayez un but dans votre vie, but auquel vous subordonnerez tout le reste. Ne le perdez pas de vue pendant une heure ni une minute. Marchez constamment dans cette direction. Ne regardez en arrière que pour contempler avec joie le chemin parcouru dans la montée vers le succès.

Pendant l'accomplissement d'un acte que vous voulez exécuter avec perfection, répétez vingt fois la formule : *« Je fais tout le mieux possible. »*

Chapitre 22

Utilité et excellence

Choisissez une carrière utile

Celui qui est utile aux autres est toujours utile à soi.

Vous appartenez à un univers opulent ; la pauvreté, la médiocrité n'existent que dans votre esprit. Tout, dans le monde, est à votre portée ; il vous suffit de vous élever assez pour l'atteindre. Il n'est pas possible qu'une personne soit utile aux autres sans que son action soit utile à elle-même. La personne la plus compétente pour satisfaire un besoin de l'humanité, la personne qui, dans une branche de l'activité, aura atteint le plus haut degré d'excellence, aura aussi le plus grand pouvoir de réussir et aura atteint le plus haut degré de maîtrise. Si vous pouvez choisir votre carrière, donnez la préférence à celle qui réalise quelque chose d'utile et répond aux besoins de l'humanité.

Le sens pratique

Entraînez-vous à découvrir les occasions d'être utile à vos semblables et, parmi les moyens d'être utile aux autres, choisissez ceux qui correspondent à vos aptitudes personnelles. N'entreprenez pas une carrière qui ne puisse rendre service aux autres et, si vous hésitez entre plusieurs carrières, choisissez celle qui est la plus utile et met le plus en jeu vos qualités personnelles.

L'aptitude à découvrir les occasions d'être utile s'appelle « le sens pratique ». Dès qu'une idée pratique germe dans votre esprit, réalisez-la tout de suite.

Saisissez l'occasion d'être utile

Dès que vous « sentez » l'occasion d'être utile aux autres, sautez sur elle, prenez-la par les cheveux, au passage, avec joie, avec enthousiasme ; grâce à votre entrain, la réalisation de votre projet vous fournira un résultat agréable et profitable ; l'effort que vous donnez en cette circonstance, les pouvoirs qui entreront en fonction auront développé chez vous le sens pratique. D'ailleurs, vous n'aurez pas à chercher longtemps l'occasion d'être utile, elle se présentera à chaque instant. Plus vous aurez découvert d'occasions, plus vous en découvrirez d'autres, car votre esprit sera orienté du côté pratique et réalisateur.

Utilité et excellence

Soyez utile et compétent, soyez plus compétent que les autres et vous dominerez la situation. Emerson a dit : « L'homme qui fabrique le meilleur piège à rats, qui prêche le meilleur sermon ou écrit le meilleur livre, peut bâtir sa maison au fond des bois, les clients se chargeront de tracer, avec leurs pas, un sentier conduisant jusqu'à lui. » Ces lignes du grand philosophe américain expriment le principe de l'*excellence* et de l'*utilité*.

Le plus grand industriel est celui qui fabrique au meilleur compte la meilleure marchandise, celle qui correspond à un besoin de l'humanité. Vous n'aurez rien si vous ne faites rien. Rien ne s'acquiert sans effort.

Les as de l'industrie

Quelle est l'origine des capitaines de l'industrie et des champions de la finance ?... Ce sont des personnes qui, débutant dans l'industrie et les affaires, ont appris à se rendre utiles dans la mesure de leurs moyens. Elles grandirent en cultivant l'utilité et acquirent un tel degré d'excellence dans l'utilité qu'elles devinrent, pour leurs supérieurs, des personnes indispensables. Leurs patrons ne purent songer à se passer de leurs services et durent leur assurer une part de leurs bénéfices : ils en firent des associées.

Exemple d'un fabricant de clous

Il y a 200 ans, un jeune Français appartenant à l'aristocratie apprit à faire des clous avec le forgeron du village ; il atteignit, dans cette fabrication, un degré de perfection absolue. Plus tard, fuyant la Révolution de 1789, il se trouva sans ressources en Allemagne : il établit un atelier, qui devint une fabrique ; quelques années plus tard, il rentra en France avec une fortune magnifique. Qu'y a-t-il de plus utile que des clous ? Si un homme devient riche par héritage, il faut qu'en retour il sache créer de l'utilité, pour « racheter » la manière anormale dont ses biens sont acquis. Chaque fois qu'un centime est acquis injustement, une graine de dépravation est semée dans l'âme du bénéficiaire, et les fruits qui pousseront plus tard en lui porteront les marques de la dégradation.

Il faudrait que chaque maison d'éducation fît marcher de front l'éducation de l'esprit et l'entraînement pratique. L'éducation mentale doit être accompagnée de connaissances pratiques ; ainsi disparaîtraient la pauvreté, les vices et les crimes.

Bonnes et sales besognes

N'exercez jamais un « vilain métier », c'est-à-dire une de ces professions qui flattent les vices de vos contemporains ; si vous êtes *doué* de qualités qui font de vous un artiste ou un littérateur, développez-les mais n'employez pas votre art à de « sales besognes ». Si vous êtes intellectuel, exercez une carrière dite libérale, mais rendez son application utilitaire, pratique et parfaite ; soyez un as, en faisant mieux que les autres. Si vous n'avez aucune des aptitudes précédentes, choisissez le commerce, les affaires, et exercez votre métier dans la branche la plus utile ou nécessaire. Le meilleur commerçant est celui qui livre la meilleure marchandise, au meilleur marché.

Aux éducateurs

Les éducateurs et les pédagogues, dont le devoir est de former la jeunesse, devraient mettre entre les mains de leurs élèves les instruments nécessaires pour obtenir le meilleur rendement de leurs facultés. Le but réel de l'éducation, de la pédagogie, est de préparer les jeunes à devenir *utiles.* Ce but sert à l'élève et à son pays. La jeunesse de demain doit être formée en vue de la « réalisation ». Il y a deux façons pour elle d'être utile : apprendre l'utilité matérielle et l'utilité morale. Les deux se combinent et même se confondent souvent.

L'utilité matérielle est celle qui s'échange commercialement : biens matériels, marchandises. L'utilité morale est celle qui s'échange sans qu'il y ait rémunération en espèces : créer autour de soi de bonnes suggestions, sous forme de bons conseils, de bons exemples, de paroles réconfortantes. Indirectement d'ailleurs, ces dernières ont une grande valeur matérielle.

Le sens des valeurs

Chaque jeune personne doit acquérir le « sens pratique », c'est-à-dire ce que Paul Nyssens appelle « le sens des valeurs » ; chacun doit apprécier, par réflexe, la valeur des gens, des choses, des événements, il doit se rendre compte des utilités, des services qu'il peut donner au monde, qu'il peut offrir sur le marché où se fournissent ses contemporains. Si le sens des valeurs est peu développé chez vous, vous avez intérêt à le développer, puis à l'entraîner. Votre coefficient d'utilité, la valeur de vos services, de votre travail, de votre production, grandiront en proportion de l'entraînement que vous aurez donné à votre « sens des valeurs ». Ne croyez pas que cette faculté n'ait pour but que l'intérêt personnel et matériel ; elle est aussi indispensable aux bienfaiteurs de l'humanité, qui ne travaillent que pour elle. Une personne généreuse qui posséderait à un haut degré le sens des valeurs pourrait étendre et décupler ses dons et ses bienfaits.

Semez et vous récolterez

Tout d'abord, on doit s'efforcer d'être utile, puis penser à recevoir sa rémunération ensuite. L'ouvrier, l'employé, ne touchent leurs appointements ou leurs salaires qu'après avoir fourni un mois ou une semaine de travail. L'industriel ou le commerçant achètent des matières premières ou des marchandises, ils immobilisent leurs capitaux, accordent des crédits à leurs clients et ne reçoivent leur rémunération que plus tard. Semez d'abord, récoltez ensuite. Le bon voyageur de commerce s'ingénie à rendre de menus services à ses clients. Il les renseigne, les documente et soigne leurs intérêts.

Il arrive parfois qu'un homme rende des services éminents à ses semblables, qu'il crée des entreprises et des organisations nouvelles, qu'il paie de la publicité, qu'il satisfasse ses besoins et toutefois qu'il ne se développe que lentement ; qu'il garde son sang-froid, l'heure de sa rémunération viendra sûrement.

Chacun sera récompensé suivant ses oeuvres

D'ailleurs, toute utilité n'est pas seulement rétribuée par de l'argent ; vous connaissez, dans les laboratoires, des chercheurs, des innovateurs dont les découvertes et les inventions sont destinées à soulager ou à enrichir le monde, et qui ne connaîtront jamais pour eux-mêmes qu'une vie médiocre. Cette injustice apparente tient au fait qu'ils n'ont pas recherché l'argent et que chez eux le désir du bien-être matériel n'occupe que l'arrière-plan de leurs ambitions : « Un bienfait n'est jamais perdu : chacun sera récompensé suivant ses oeuvres. »

Quatre-vingt-dix-neuf fois sur cent, la personne qui sait se rendre utile et qui sait offrir ses services, les faire désirer, a la certitude de les faire accepter et d'en être rémunérée. Inversement il ne faut pas escompter une récompense avant d'avoir fourni une utilité. Les fomenteurs de troubles, qui bourrent le crâne du peuple, parlent du droit à l'existence, du droit au bonheur, du droit au confort. Un droit, pour être effectif, doit être reconnu par deux parties : l'une qui en bénéficie et l'autre qui l'accorde. Vous ne pouvez être juge et partie ; commencez donc par reconnaître vos devoirs et notamment le devoir de vous rendre utile. Or, si vous procurez à quelqu'un une utilité, la rémunération doit être l'objet d'un accord, d'une convention entre celui que vous obligez et vous-même. Un mercanti est libre de marquer sur ses marchandises un prix exorbitant, mais le public les lui laissera pour compte.

Estimez-vous utile

Paul Nyssens raconte l'histoire d'un employé d'usine qu'il connaissait depuis 14 ans et dont les appointements étaient de 125 francs par mois. Cet employé connaissait toutes les opérations qui se faisaient dans cette industrie, qu'il aurait pu diriger lui-même ; il en assurait à lui seul l'administration ; ignorant du principe de l'utilité, il accomplissait cette besogne automatiquement, sans enthousiasme, sans perspective d'amélioration, et par suite avec le risque de péricliter. Cet employé étudia le cours de Paul Nyssens et remarqua qu'il ne possédait pas l'estime de soi. Il se mit à développer cette faculté, et dans son esprit une suggestion s'éveilla : la nécessité de se rendre utile. Il s'intéressa à sa tâche et ranima l'activité de l'usine. Les résultats furent immédiats, son attitude nouvelle et l'amélioration des affaires frappèrent son patron, qui, pour conserver un aussi habile collaborateur, lui offrit une situation magnifique.

En résumé

Rééduquez vos facultés faibles, notamment l'estime de soi et le sens des valeurs ; orientez votre activité vers l'utilité et l'excellence, modifiez votre attitude. Quand vous avez découvert un moyen d'être utile, persévérez avec ténacité ; si vous ne voyez pas immédiatement la récompense de vos efforts, ayez confiance, vous vous acheminez vers l'aisance et l'opulence. La sagesse est de donner, sans attendre aucune rémunération ni matérielle ni morale ; car les bienfaits que vous procurez seront une source importante de revenus. L'utilité tend vers son apogée par l'excellence : l'excellence s'obtient en produisant un travail toujours plus parfait. Il faut être patient. Nul ne naît virtuose, mais chacun vient au monde avec des aptitudes qui doivent être déployées par un patient labeur jusqu'à l'excellence.

Demandez-vous : « Dans quelle occupation puis-je me rendre le plus utile ?... À quoi mon utilité peut-elle être le mieux appliquée ?... À qui puis-je être le plus utile ?... Comment y arriver ?... Par quel procédé vais-je tous les jours faire mieux ?... » Il faut résoudre ces problèmes sans hâte, sans précipitation, dans tout le calme de votre esprit, et graduellement votre utilité et votre rémunération grandiront.

Chapitre 23

L'enthousiasme est le sentiment qui mène les hommes

Il met en action toutes nos énergies

Quelqu'un vous a annoncé, il y a deux jours, la prochaine visite d'une personne âgée que vous aimez. Immédiatement, toutes vos facultés ont été mises en éveil par l'idée de cet événement. Cette pensée absorbe tout votre esprit ; vous choisissez votre costume, vous soignez votre tenue ; la pièce destinée à recevoir l'invité est mise en ordre, astiquée, pour que votre ami soit le plus heureux possible. Cette pensée affective vous a poussé à l'action. L'idée suggérée par la bonne nouvelle a fait naître l'enthousiasme dans votre coeur. Elle a mis en action toutes vos énergies. Depuis deux jours, vous avez constaté que votre personne est devenue plus belle, votre ambiance plus agréable. Si vous mettez l'enthousiasme dans tous les actes de votre vie vous embellirez les moindres d'entre eux et vous préparerez le succès et le bonheur. L'enthousiasme illumine et embellit votre corps et votre âme. Les personnages fameux que vous connaissez sont arrivés à leur situation grâce à une intelligence stimulée par l'enthousiasme. L'idée suggérée à leur esprit a provoqué, chez eux, une série d'actions ; chacune de ces actions a amené une ébauche de succès ; chaque nouveau succès a augmenté l'enthousiasme. Pendant leur vie, les « surhommes », les « as » ont appliqué à la réalisation de chaque but le meilleur de ce qu'ils avaient en eux, sans se préoccuper des frivolités, des plaisirs.

Sa puissance

Vous avez maintes fois, dans votre passé, constaté la puissance de l'enthousiasme. Un samedi soir, le temps était beau, une excursion pour le lendemain était projetée. Immédiatement, vous avez oublié tout ce qui ne se rapportait pas à ce jour férié ; vous avez préparé votre équipement, réglé votre réveil et organisé votre journée d'excursion. Au fur et à mesure que vous faisiez vos préparatifs, votre enthousiasme s'est accru. Pendant la soirée de préparation, l'excursion projetée a absorbé toutes vos facultés et justifié chacun de vos actes ; comme résultat, cette randonnée a pleinement réussi.

Sans lui rien de grand

L'enthousiasme assure à vos actes le rendement maximum. Sans enthousiasme rien de grand ni d'efficace ne s'accomplit. Il faut être enthousiaste dans toutes vos actions. Vous connaissez des personnes paresseuses, indolentes, indifférentes ; vous en connaissez, au contraire, qui sont courageuses, travailleuses, énergiques. Ces dernières sont soutenues par l'enthousiasme. Elles aiment ce qu'elles font. Tel employé est un paresseux et ne reste pas dans les places où il passe successivement. Pourquoi ?... Parce que tout lui est indifférent. Tel autre, au contraire, courageux, abat une besogne énorme. Pourquoi ?... Parce qu'il est fier de son travail. Il aime faire plaisir à son maître et recevoir son approbation ; il fait tout avec amour, même les besognes les plus ingrates.

Il n'est pas l'emballement

Ne confondez pas l'emballement, terme péjoratif, avec le feu de l'enthousiasme. L'emballement, l'« excitation » diffère de l'enthousiasme actif, tenace, qui n'a pas de défaillance. Je m'explique : l'emballement est fugace, il atteint une pression de 12 kilos pendant une heure et tombe à 1 kilo l'heure suivante. L'emballement, c'est l'excitation qui accompagne un travail nouveau, alors que la curiosité est éveillée.

Le véritable enthousiasme

Vous devez cultiver uniquement l'enthousiasme vrai, celui qui se lève avec vous chaque matin et embellit votre travail. C'est l'enthousiasme de la personne éloquente, qui intéresse et influence l'auditoire. C'est l'enthousiasme du vendeur, qui fait acheter rapidement ses marchandises, qui lui fait accomplir un raid ; c'est l'enthousiasme du champion qui doit prendre part à un match international ; c'est l'enthousiasme du grand artiste, à la veille d'une première. Ces as vivent pour un but unique ; toutes leurs facultés sont concentrées sur le succès. Savez-vous ce qu'il y a derrière le succès ? Il y a la concentration de toutes les facultés vers un but unique. Le champion règle sa vie sous le contrôle continu de tous ses actes psychiques et physiques. Il suit un régime approprié, subit un entraînement lent et progressif, surveille l'acte le plus insignifiant pour éviter la perte de son potentiel nerveux. Quelle est donc la force qui le soutient ainsi ?... L'enthousiasme.

Enthousiasme et bonheur

Je prends l'exemple des champions, mais je peux prendre celui du plus humble des subalternes ; vous trouvez dans un milieu modeste des gens enthousiastes qui font leur travail avec perfection. Chez eux la moindre ambition les fera rapidement grimper vers une situation matérielle plus importante. D'ailleurs, ils ont déjà atteint le plus beau but qu'ils puissent ambitionner : *le bonheur* ; car celui qui fait son travail avec enthousiasme est toujours heureux.

Oui, cher lecteur, si vous voulez être heureux, accomplissez avec perfection les moindres actes de votre existence. Vous trouverez toujours, dans ce *travail soigné,* la source d'une grande joie. Votre enthousiasme montera immédiatement et vous permettra d'accomplir des actes plus grands encore. L'enthousiasme vous entraînera à concentrer toutes vos facultés sur un point déterminé et vous deviendrez supérieur dans la profession que vous exercez.

Son processus

La pensée n'est rien si elle n'est pas suivie de réalisation. Si l'homme est grand parce qu'il pense, il est fort parce qu'il agit ; or pour que la pensée passe à l'action, il faut qu'elle ait provoqué l'enthousiasme et pour que cette action soit productive, il faut encore qu'elle entraîne un nouvel enthousiasme, car l'enthousiasme se développe en agissant.

Un ami vous montre un match de tennis ; ce sport vous intéresse vivement et vous donne l'idée de manier la raquette et la balle ; dès le lendemain, vous vous entraînez contre un mur ; les débuts sont durs, parce que vous ne réussissez pas. Pourtant, l'idée constante du dernier match que vous avez vu soutient votre énergie ; vous avez confiance que dans un mois vous commencerez à jouer passablement. Cette foi entretient votre enthousiasme et vous pousse à continuer. Un matin, vous réussissez quelques balles ; alors la confiance naît et chaque jour vous réussissez mieux ; l'enthousiasme grandit ; finalement vous devenez un joueur habile.

Chaque effort, chaque difficulté vaincue vous procurent une joie intime qui fait vibrer les cordes de l'enthousiasme. L'exemple que je prends dans le domaine des sports, je peux le prendre dans le domaine de l'art, et je l'applique au violoniste, au pianiste. L'enthousiasme grandit à mesure que l'artiste travaille et étudie, au fur et à mesure qu'il agit.

Enthousiasme et action intense

Le processus s'applique au développement de n'importe quel talent, de n'importe quelle faculté. Que votre métier, votre profession s'exerce sous les yeux du public ou dans une retraite, vous pouvez, en agissant, faire naître et croître l'enthousiasme dans votre moi intime. Excellez de plus en plus ; battez chaque jour votre propre record ; méritez l'approbation de votre conscience ; celle-ci doit vous donner plus de joie que les suffrages du monde entier.

Lorsque votre pouvoir exécutif grandit, votre enthousiasme croît et se propage comme une flamme dans la paille. Celui qui passe sa journée à rêver n'a pas de pouvoir exécutif, il n'a pas d'enthousiasme ; il peut remplir une place modeste, mais ne sera jamais un homme important ni un maître ; il est candidat à la médiocrité.

L'enthousiasme se manifeste par l'intensité dans l'action et par la rapidité dans les actes.

Enthousiasme et endocrines

Si vous étudiez la physiologie, vous saurez que l'intention, la rapidité, ainsi que les différents états d'âme, sont influencés par l'état normal, exagéré ou insuffisant des glandes à sécrétions internes (endocrines) ; par exemple, les glandes surrénales provoquent l'intensité, et la glande thyroïdienne la rapidité. Que cette notion d'ordre physiologique ne vous décourage pas et ne vous rende pas fataliste. Vous pouvez très bien être insuffisamment intense, insuffisamment rapide et posséder néanmoins des endocrines normales. À un moment donné, par maladie ou fatigue, ces endocrines étaient insuffisantes ; alors, par autosuggestion, vous avez perdu confiance, à cette époque de malaise, et vous avez pris la mauvaise habitude d'être lent ou superficiel. Eh bien ! Il vous est possible de réaliser en même temps ces deux désirs : *a)* développer le pouvoir de vos endocrines ; *b)* perdre vos habitudes d'indolence. Pour exciter les fonctions endocriniennes, entraînez-vous à la gymnastique respiratoire, car le poumon est solidaire de toutes les glandes.

Sans enthousiasme la vie est triste

Reconnaissez bien ce fait : il y a une relation étroite entre le bonheur, le succès et l'enthousiasme, une relation non moins étroite entre la tristesse, l'insuccès et l'indifférence.

Les gens non enthousiastes n'aiment pas la vie, et comme on ne vit qu'une fois, ils « ratent » leur existence. Vous savez la différence qui sépare le pessimiste de l'optimiste ; le pessimiste n'envisage que le côté triste et sombre des choses ; il n'a foi en quoi que ce soit ; il n'a pas d'enthousiasme. L'optimiste voit le côté joyeux, ensoleillé de la vie, il est heureux et enthousiaste.

Enthousiasme et optimisme

Sur ce terme « optimiste », il faut s'entendre : il y a l'optimiste béat, qui n'agit pas, mais attend tranquillement que tout finisse par tourner à son avantage. Il y a l'optimiste actif, éclairé ; celui-ci reconnaît que toute chose a un bon côté et qu'il faut savoir en tirer parti. L'optimiste actif fait tourner les événements au profit du but élevé qu'il poursuit. L'optimiste béat dit : « Tout ira bien » ; l'optimiste actif déclare que « à tout événement il faut s'adapter pour en tirer le meilleur parti ». Vous connaissez des gens à qui vous attribuez la chance persistante. En réalité, ce sont des optimistes actifs, c'est-à-dire des êtres qui s'adaptent à toute circonstance, même fâcheuse. Nous en avons vu l'exemple pendant la guerre, où des prisonniers, des réfugiés, sont arrivés à tirer de magnifiques avantages des conditions fâcheuses qui se présentaient à eux. Les jaloux les traitèrent de débrouillards, de partisans du « système D » ; ces médisants auraient mieux fait de les imiter.

Pour réussir, il faut être optimiste actif et tirer le meilleur parti des circonstances, si mauvaises soient-elles ; il faut avoir foi dans le succès, attendre le succès. À la base de cet état d'esprit, il y a l'enthousiasme.

Le pessimiste s'épuise en vaines critiques et récriminations. Est-ce que son attitude hostile changera la face de l'univers ?... Puisqu'il est impossible que chacun adapte l'univers à sa mentalité personnelle, n'est-il pas plus sage d'adopter une attitude mentale qui rende l'individu satisfait de tout ce qui existe ?

Le stimulant de la vie

Il faut avoir la foi dans le succès, il faut développer en soi l'optimisme et l'enthousiasme. L'optimiste actif possède des réserves d'enthousiasme, qu'il peut appliquer à son aise ; les obstacles s'écarteront toujours de son chemin. Voulez-vous réussir dans la vie ?... Faites entrer l'enthousiasme dans l'utilisation de tous les pouvoirs que vous possédez. L'enthousiasme est lié à l'action, à la réalisation ; c'est le stimulant de la vie.

Chapitre 24

De l'autosuggestion

De l'état psychique

La psychologie classique considère que l'âme est douée de trois facultés :

a) les tendances affectives ou *sensibilité* ;

b) l'*intelligence* ou capacité mentale ;

c) la *volonté* ou capacité motrice.

Les phrénologues modernes considèrent que l'esprit est doué de quarante-deux capacités ou aptitudes ; non seulement ils les classent, mais encore ils les localisent avec précision sur le cerveau, le crâne, la face, l'ensemble du corps. Cette prétention — très souvent justifiée — est pourtant exagérée. Dans les grandes lignes, il y a néanmoins tellement de vérités dans cette classification et cette localisation que nous devons les accepter en principe, quitte à les modifier un peu dans les détails et à les simplifier dans la pratique.

Voici quelques-unes de ces capacités ou aptitudes : notions de l'espace, du temps, de la distance, des couleurs, de la forme ; vénération, approbativité, secrétivité, combativité, destructivité, bienveillance, estime de soi, etc. Ces capacités peuvent se ranger dans les groupes de capacités motrices, affectives ou intellectuelles.

Nous épargnerons au lecteur la liste complète de ces différentes capacités ou aptitudes.

Conscient et inconscient

Ce qu'il faut retenir, pour l'instant, c'est que l'état psychique peut se ramener à deux états différents : l'état *conscient,* qui comporte une partie de l'intelligence (logique, raison, attention, réflexion et volonté) ; et l'état *inconscient,* auquel correspondent la sensibilité et une partie de l'intelligence (intuition, foi, etc.). L'état inconscient lui-même se subdivise en deux états secondaires : le subconscient et le superconscient.

Certaines qualités placées jadis dans l'intelligence se rattachent maintenant à l'inconscient : telles sont l'intuition, l'imagination, la mémoire, l'habitude, qui sont du domaine du subconscient, donc de l'inconscient.

Le conscient

L'état *conscient* (raison, logique, volonté) n'occupe dans votre état psychique qu'un petit côté. Il sert simplement à vous surveiller et à organiser l'éducation de l'inconscient, qui domine toute la psychologie appliquée.

Le conscient sert à vous montrer les défauts dont vous devez vous corriger, les aptitudes que vous devez acquérir ; il intervient dans le choix de l'autosuggestion et dans la persévérance nécessaire pour arriver à réaliser le but que vous poursuivez, à savoir l'éducation de l'inconscient.

En résumé, le *conscient* comprend la logique, le raisonnement, la raison, la volonté ; c'est lui qui produit le contrôle, l'introspection, la réflexion, l'attention ; c'est lui que le langage populaire appelle « le cerveau » pour l'opposer à l'inconscient ou « coeur ».

Subconscient et superconscient

Le *subconscient* — qui fait partie de l'inconscient — est le domaine le plus important de notre être mental ; il renferme nos *habitudes, nos aptitudes, nos tendances, nos ins-*

tincts, notre caractère, la foi, l'intuition, l'imagination, la mémoire, l'amour.

Le *superconscient* — qui fait aussi partie de l'inconscient — est notre conscience morale, notre conseiller intime, notre vrai moi, notre moi idéal, il renferme les bonnes idées directrices, le vrai, le beau, le bien, la bonté, la spiritualité, etc.

Lutte entre le conscient et l'inconscient

Pratiquement, nous devons savoir que chaque fois que le conscient est en lutte avec l'inconscient, chaque fois qu'il y a lutte entre le cerveau et le coeur, entre l'imagination et la volonté, cette lutte est toujours inégale ; c'est toujours l'inconscient — c'est-à-dire le coeur, l'imagination, le sentiment, — qui l'emporte. Par conséquent, ne cherchez pas à éduquer la volonté, mais l'inconscient, cherchez à créer de bonnes suggestions, qui seules vous feront agir, automatiquement, sans effort. Faites l'éducation de l'inconscient, c'est lui seul qui dirige votre vie, forme votre caractère, produit votre destinée.

L'imagination l'emporte toujours sur la volonté

C'est le *conscient* qui est le siège du doute, de l'hésitation, du pessimisme, de l'inaction, et de toutes les capacités négatives.

C'est dans l'*inconscient* que sont les facultés d'action : l'idéal, le mysticisme, la foi, l'amour, la gaîté, l'optimisme, l'enthousiasme.

Le conscient doit agir pour éduquer l'inconscient sous le contrôle de la raison, il sert à l'introspection et à la psychanalyse.

Le *superconscient* — qui fait partie de l'inconscient — est le siège du vrai, du juste. C'est le siège de la bonté, de la bienveillance, de l'héroïsme, du mysticisme, de l'amour, du surnaturel, de la philosophie, de la spiritualité. Le superconscient est nul chez l'être amoral, sans coeur, chez l'égoïste, la brute ; il est développé chez le surhomme, le héros, le génie bienfaisant, l'artiste.

Le *subconscient* — qui fait partie de l'inconscient — est, en somme, la partie essentielle de notre mentalité ; il constituera les neuf dixièmes de notre état psychique. C'est le siège de la mémoire, des habitudes, des réflexes, des instincts, de la foi, de l'enthousiasme, du langage, des tics, des gestes, des goûts, de la vocation, des passions, des dons, des aptitudes. Par conséquent, c'est le domaine le plus important de la vie intérieure et de notre caractère. Pour que le conscient pénètre dans l'inconscient, il faut recourir à la méditation ; quand un homme pénètre dans l'inconscient du voisin (par l'interrogatoire, l'étude des rêves ou une conversation à bâtons rompus), pour connaître son psychisme, il a recours à la psychanalyse. Le conscient de l'interrogateur pénètre dans l'inconscient de l'interrogé.

Quand vous dites : « Les grandes pensées viennent du coeur », vous exprimez cette vérité : les grandes idées viennent de l'inconscient et plus spécialement du superconscient.

Quand Émile Coué dit ceci : « L'imagination l'emporte toujours sur la volonté », cela veut dire : l'inconscient domine toujours le conscient.

Quand le coeur est en conflit avec le cerveau, le coeur l'emporte, cela veut dire que le conscient est toujours battu par l'inconscient.

Conclusion

C'est l'éducation de l'inconscient qu'il faut faire, mais pour cette réalisation le conscient est utile ; c'est là le but que nous poursuivons pour la rééducation de l'esprit et la conquête du bonheur.

Quel est le plus puissant moyen dont vous disposez pour vous rééduquer ?...

Résumons-nous

Je répète et précise.

La psychologie considère l'esprit sous deux aspects différents : l'état *conscient* et *l'inconscient*. L'esprit conscient est celui qui se manifeste à vous quand vous vous rendez compte de ce que vous faites. L'esprit inconscient, au contraire, s'exerce par exemple pendant la marche, la natation, pendant les actes qui se font instinctivement, à votre insu. Cet esprit inconscient, vous pouvez le ramener comme vous voulez à l'état conscient. Vous pouvez observer vos mouvements, si vous le voulez.

Exemple : Vous circulez dans la rue avec un ami ; votre conversation est engagée ; vous avez conscience des paroles que vous prononcez ; vous êtes conscient de la route que vous prenez pour vous diriger vers le but déterminé. Mais à part votre conversation, qui s'exerce sous le contrôle de l'esprit conscient, c'est votre inconscient qui travaille. C'est votre inconscient qui dirige vos pas, votre inconscient qui vous conduit vers le point de la ville où vous vous portez et que vous connaissez par une longue habitude ; votre inconscient vous fait éviter les voitures ; il commande aux gestes que vous pouvez faire pendant votre dialogue ; votre inconscient vous fournit également le vocabulaire nécessaire à la langue que vous parlez avec votre ami.

Ces deux domaines différents ont pourtant un contact étroit ; il est difficile de dire où commence l'un et où finit l'autre. Vous pouvez entrer dans le domaine de l'inconscient à l'aide de l'introspection, procédé qui permet de vous analyser vous-même, de vous rendre compte du mobile de vos actes, de peser vos paroles, de régler le rythme de votre respiration, d'arrêter vos pas alors que votre marche était automatique, de les diriger à volonté, de modifier la longueur de vos enjambées ; tous les actes qui se passent dans votre inconscient peuvent être ramenés dans votre conscient. Vous vous sentez triste ou gai, vous ne savez pas pourquoi. Faites de l'introspection, analysez votre état d'âme ! Vous êtes gai parce qu'une heure auparavant une bonne nouvelle vous a été annoncée. Vous êtes triste, inversement, parce qu'un malheur vous a été prédit. Votre inconscient est sous l'impression de cette bonne ou mauvaise nouvelle. Vous ressentiez un vague malaise moral et, en pratiquant l'introspection, en vous analysant vous-même, vous voyez les raisons d'être de votre état inconscient.

Le confesseur qui interroge le pénitent sur ses fautes s'adresse au conscient ; le psychiatre qui pratique la psychanalyse sur le névrosé s'adresse directement à l'inconscient.

Éducation de l'inconscient

Nous étudierons surtout *l'inconscient,* parce que c'est par son intermédiaire que vous allez vous rééduquer.

Votre destinée est faite par votre caractère, votre caractère est le résultat de vos habitudes, vos habitudes sont la conséquence des actes souvent répétés. Les actes sont produits par des suggestions. Par conséquent, si vous voulez forger votre destinée, il faut créer de bonnes habitudes. Ces habitudes se font par l'intermédiaire de l'inconscient, car c'est dans votre inconscient que toutes vos habitudes existent à l'état latent. L'inconscient constitue votre caractère ; il faut constamment et volontairement agir sur lui ; si vous voulez élever votre vie, c'est par le conscient que vous agirez sur l'inconscient et c'est l'inconscient qui réalisera votre caractère et votre destinée.

Vous devez éduquer l'inconscient en vous servant sans cesse de l'autosuggestion.

Quelques exemples

Pour réussir, il faut être bien portant, ne pas avoir de vices, développer une volonté forte, s'entraîner à une discipline inflexible, à l'ordre et à la méthode. Vous réfléchissez à ces indications, vous concluez que, pour réaliser ce programme, vous devez prendre l'habitude de vous lever tôt, de faire de la culture physique, de ne jamais consommer aucun aliment toxique, de ne boire que de l'eau, de ne rien faire qui n'ait été décidé consciemment ; en un mot, d'agir en toute circonstance comme une personne forte, disciplinée. Votre esprit conscient décide que vous devez contrôler vos émotions.

Parmi ces émotions, vous en choisissez une : l'impatience. Vous ne serez plus impatient. Toute la journée vous répéterez : je suis patient ; dès que la moindre cause extérieure peut provoquer chez vous l'emportement, vous vous dites : je suis patient. La journée terminée, vous vous rendez compte que, au lieu de manifester votre impatience dix fois dans la journée, vous ne l'avez manifestée que deux ou trois fois. Sous le contrôle du conscient, vous arriverez peu à peu à ne plus vous impatienter du tout. Sans doute, vous devez constamment vous tenir en haleine par *les autosuggestions*, mais après six mois de cet entraînement, vous obtenez le calme ; l'habitude du calme est acquise par votre inconscient.

Après avoir contrôlé cette première émotion, vous créez une bonne habitude, par exemple celle de vous lever tôt, de ne boire que de l'eau, de ne jamais dire du mal de votre prochain. Petit à petit, après une année, vous avez créé ainsi une dizaine de bonnes habitudes, qui ne vous demanderont désormais aucun effort pour être exécutées. Vous devenez plus sympathique aux autres, vous vous fatiguez moins, vous fournissez plus de travail. Autrement dit, votre bonheur moral, votre santé et votre profession subissent les bienfaisants effets de cette rééducation.

Votre caractère de personne calme et patiente est constitué. Vous l'avez créé consciemment d'abord ; vous l'avez manifesté automatiquement ensuite. Procédez ainsi pour détruire vos défauts, créer les bonnes habitudes et acquérir les qualités que vous convoitez.

L'autosuggestion consiste donc à faire passer dans l'inconscient ce qui a été décidé par le conscient en vous soutenant par une suggestion.

Arrière les autosuggestions négatives

N'usez pas d'autosuggestions négatives : pour être calme, gardez-vous de dire : « Je ne suis pas impatient » ; ne dites pas : « Je serai patient », mais : « Je suis patient. » Puis, dans l'intervalle de ces autosuggestions, alors que vous êtes seul, que vous pouvez réfléchir, vous vous représentez vous-même en présence des faits de la journée qui menacent votre patience et votre calme. Par exemple, vous vous figurez en état d'excitation devant cinq ou six personnes qui se moquent de vous, vous trouvant ridicule. Immédiatement, étreint du désir de plaire, vous imaginez l'attitude que vous devez avoir pour acquérir l'approbation des gens avec lesquels vous vivez ; vous vous représentez ces deux images, l'une pénible, l'autre agréable, chacune à leur tour, et vous optez définitivement pour le calme.

Rôle de l'inconscient dans l'autosuggestion

Dites plusieurs fois dans la journée : « *Le but essentiel que je poursuis est l'amélioration de moi-même.* »

Placez cette idée dans votre inconscient pendant plusieurs mois, elle s'y propagera. Dans la journée, les jours suivants, votre inconscient vous rappellera les résolutions que vous y aurez implantées. Cette idée maîtresse de vos actes vous fera agir selon vos résolutions. Vous vous surprendrez ainsi sentant, disant, agissant d'une façon tout à fait différente de celle que vous aviez adoptée auparavant. Ces paroles, ces images, ces actes nouveaux, vous ne les avez pas prémédités, ils se reproduisent spontanément, ils sont le fruit d'un travail qui s'est fait dans votre subconscient.

G. Le Bon a dit : « *L'éducation consiste à faire passer le conscient dans l'inconscient.* »

De l'esprit inconscient

Nous le subdivisons en deux : a) *subconscience* ; b) *superconscience.* Au delà de l'inconscience, qui réalise la vie psychique, il existe la vie organique, qui ne peut s'atteindre par l'introspection : les battements du coeur, les mouvements de l'estomac, la nutrition, etc. Toutefois, vous pourrez directement agir par le conscient sur les organes végétatifs. Les sentiments négatifs, le pessimisme, l'inquiétude, l'agitation, la jalousie, créent des troubles fonctionnels, des poisons, qui diminuent la fonction de vos glandes à sécrétions internes (thyroïde, foie, rate) et altèrent votre santé. Par conséquent, votre conscient, par l'intermédiaire de l'inconscient, peut agir sur vos organes. Si vous êtes optimiste, bienveillant, votre santé sera meilleure que si vous êtes pessimiste et malveillant.

En résumé, la superconscience est entourée de l'inconscience, qui finit où commence la conscience.

Une comparaison

Comparez votre âme à une cible dont le point noir central est entouré d'un cercle rouge puis d'un cercle blanc. Le cercle rouge, c'est la subconscience. La zone blanche, c'est la conscience, la zone la plus visible, la plus superficielle.

Le point noir, c'est la superconscience, que l'introspection ou la psychanalyse atteindra pour connaître le moi idéal.

La subconscience est donc l'intermédiaire entre la superconscience et la conscience. Habitudes, automatismes, toutes pensées, les mouvements, sentiments habituels, deviennent automatiques et relèvent de l'esprit subconscient. C'est le subconscient qui commande aux différents exercices : marche, natation, équitation, et à tous les réflexes, etc.

Votre organisme physique et mental fonctionne-t-il normalement ?... Il reste dans le domaine de l'inconscient. Vous n'en avez pas conscience. Le subconscient lui-même n'en serait pas impressionné. Mais la fièvre apparaît, la respiration devient difficile, le coeur s'agite, la digestion est pénible. Immédiatement, le subconscient éprouve quelques malaises, qui troublent le sommeil, vous rendent de mauvaise humeur. Jusque-là, les faits sont encore en dehors du conscient. Ces phénomènes s'exagèrent, alors le conscient entre en jeu et conclut : « Je suis malade, je dois me soigner. »

Le cafard

Vous connaissez tous cet état de vague tristesse qui s'appelle « le cafard ». C'est un état psychique funeste au développement de votre esprit. Il ne faut jamais lui donner asile. Si ce malaise moral se présente chez vous, réfléchissez cinq minutes et trouvez-en la cause. Vous l'aurez vite découverte. Votre conscient aura fait une incursion dans l'inconscient — subconscient et superconscient — à l'aide de l'introspection. Vous trouverez parfois une piqûre d'amour-propre, une inquiétude, une obsession. Il faut chasser ces vilaines pensées en les remplaçant par d'autres et en vous aidant d'autosuggestions. Vous recourrez à cette méthode chaque fois que l'obsession ou l'idée fixe s'interposera entre le conscient et l'inconscient, car l'obsession est une idée qui sort constamment de l'inconscient pour apparaître, malgré vous, dans le conscient. Vous l'éliminerez aisément quand vous aurez acquis le contrôle de vos pensées.

Action de l'inconscient organique sur la vie

Vous accueillez une personne par l'exclamation : « Vous avez bonne mine ! » Par suggestion, l'esprit subconscient de cette personne éprouve une sorte de bien-être qui améliore les troubles de l'organisme. Toute suggestion réagit sur l'être mental et sur l'être physique. Si vous parvenez à maintenir consciemment dans votre esprit inconscient la pensée que le fonctionnement de vos organes est parfait, ces conditions parfaites seront bien près de se réaliser. C'est ainsi que le médecin réalise, par la psychothérapie, la guérison des troubles fonctionnels.

Les pensées qui reviennent fréquemment dans votre conscient sont saisies par votre subconscient ; elles s'y établissent définitivement et forment le fond de votre état psychique. Exercez-vous à entretenir cette pensée : « Je suis maître de mon esprit ! J'ai le contrôle de mes pensées. » Un moment viendra où les efforts que vous ferez pour vous rendre maître de votre conscient seront couronnés par le succès. Alors vous ne craindrez plus les obsessions, les angoisses ni le cafard. Si vous craignez de ne pas réussir, aidez-vous en disant : « Je veux, je peux. »

Il existe dans la société actuelle nombre d'humains malheureux parce qu'anxieux, agités, émotifs, ultrasensibles, déprimés, obsédés, tiqueurs, neurasthéniques ; ces sujets sont justiciables de la psychothérapie et, pour guérir, ils doivent être suivis de près par un psychothérapeute.

La foi dans le succès est nécessaire

Vos pouvoirs ne sont souvent limités que par votre esprit. Il faut avoir la foi dans le rôle que vous avez à jouer, dans le succès que vous devez obtenir. Souvent, vous entendez parler d'un M. X..., être effacé et ignoré, qui brusquement, dans une circonstance donnée, s'est révélé comme un homme défensif et intelligent. Pourquoi ? Parce que M. X..., sous l'influence d'une suggestion, a reconnu qu'il était capable de prendre une décision utile et de révéler tel pouvoir que les événements ont extériorisé.

Inversement, vous connaissez de grands chefs d'État, de grands politiciens, des généraux, sur lesquels vous aviez fondé tous vos espoirs et qui, un beau jour, sous l'influence d'un trouble de santé, échouent misérablement là où jadis ils auraient réussi ; ils se sont « dégonflés ». Pourquoi ?... Parce qu'ils ont perdu la foi. La confiance en eux-mêmes a disparu ; à un moment donné ils ont douté d'eux. À dater de ce jour, leur carrière est finie ; l'infortune commence ; elle provoque la disparition de la confiance en soi et les événements fâcheux se succèdent. Ainsi s'expliquent la grandeur et la décadence d'une personne.

Le doute et la crainte — qui se passent dans le *conscient* — restreignent vos énergies et retardent leurs manifestations ; la foi (qui siège dans l'inconscient) transporte les montagnes ; beaucoup d'obstacles qui vous paraissent être des murs barrant la route, sont aisément franchis dès que vous acquérez une confiance inébranlable dans votre force. Vous avez des pouvoirs que vous ne soupçonnez pas et qui se manifesteront dès que votre esprit le voudra. La foi est la faculté qui vous fait admettre la possibilité d'une chose qu'actuellement vous ne voyez pas, que vous ne comprenez pas. La foi, sans le contrôle de la raison (conscient), conduit à la crédulité mais la foi peut et doit vivre en bonne intelligence avec la raison, le cerveau doit être d'accord avec le coeur. La vie serait impossible à la personne chez qui la foi serait inexistante. À chaque instant, vous admettez des idées, des faits nouveaux, qui vous sont présentés par d'autres personnes. Vous avez admis que deux et deux font quatre avant que cela vous ait été démontré. Il en est ainsi de la plupart des connaissances que vous avez acquises. Vous croyez d'abord, vous comprenez ensuite. Vous possédez une faculté qui vous guide quand il s'agit d'apprécier la possibilité, la vraisemblance d'une chose qui n'est pas encore prouvée ou évidente. C'est l'*intuition* (inconscient). César avait la foi dans sa capacité de conquérir la Gaule. Il l'a conquise.

La foi et la confiance (inconscient) donnent une puissance extraordinaire à toute suggestion, qui grandit à mesure que la foi se développe.

Vous savez que l'influence d'un hypnotiseur est en proportion de la foi qu'a le sujet en son pouvoir. L'hypnotiseur qui a réussi une fois à endormir un sujet possède une grande influence sur lui ; chaque fois qu'il l'endort à nouveau, son influence grandit.

Paul Nyssens raconte le cas d'un homme qui avait hypnotisé plusieurs fois certains membres d'une même famille ; ceux-ci étaient devenus tellement sensibles à son influence qu'ils tombaient dans l'hypnose dès qu'ils le voyaient paraître.

Les hypnotiseurs

Les hypnotiseurs professionnels connaissent bien le rôle de la foi, de l'imagination, dans les phénomènes d'optique, quand ils donnent une représentation ; ils s'arrangent de façon à s'entourer d'un certain nombre de sujets prédisposés à subir cette influence. Parmi ceux-ci, ils choisissent les plus suggestibles, et ils les endorment. Une première réussite impressionne les autres sujets, qui, à leur tour, sont hypnotisés avec succès. D'autre part, si l'hypnotiseur s'aperçoit qu'il y a des réfractaires aux suggestions, il les renvoie. Il sait que tout individu qui résiste à son influence crée, chez les autres sujets qui ne sont pas encore hypnotisés, l'idée, ou le sentiment, ou la croyance qu'ils peuvent également se soustraire à l'influence hypnotique. Eh bien, l'esprit conscient exerce sur l'esprit inconscient le même rôle que l'hypnotiseur sur son sujet. Plus votre esprit conscient sera éveillé et confiant, plus l'autosuggestion sera efficace. *Vous aurez une influence puissante, formidable, sur vous-même,* croyez-le ; je vous affirme que c'est la vérité. D'ailleurs, vous allez le constater rapidement, et, du jour où vous l'aurez constaté, vous vous apercevrez que cette influence ne fait que grandir. Vous vous influencez vous-même. Plus vous aurez recours à l'autosuggestion, plus vous vous serez ainsi laissé influencer volontairement, plus grand deviendra votre pouvoir pour vous influencer vous-même. Plus forte deviendra la foi en votre pouvoir.

À l'autosuggestion ajoutez l'action

Il faut sans cesse éduquer votre inconscient avec l'autosuggestion ; toute la rééducation est dans ce principe.

Votre destinée est faite par votre tempérament (constitution physique et constitution morale ou caractère) ; votre caractère est la conséquence de vos habitudes ; vos habitudes sont le résultat des actes souvent répétés. Ces actes succèdent à des idées motrices ; ces idées ont été provoquées par des suggestions ; c'est donc à l'aide de la suggestion que vous arriverez à atteindre l'amélioration de vous-même, le développement de votre vrai moi. Par vrai moi, j'entends le moi idéal, le *superconscient,* c'est-à-dire ce qu'il y a de meilleur en vous-même. Vous acquerrez ainsi votre véritable personnalité, une individualité dégagée des idées parasites et des déformations créées par les autres ou par les circonstances. Ce résultat est obtenu par la triple action du conscient, du superconscient et du subconscient.

Vous avez recours aux suggestions que vous aurez choisies après méditation, car elles sont individuelles. Vous les continuerez tant qu'elles ne seront pas solidement installées dans votre subconscient, tant qu'elles ne seront pas devenues partie de votre vie sous forme d'*habitudes.*

L'image, la formule et l'acte

L'autosuggestion se réalise sous trois formes séparées ou concomitantes : l'*image,* la *formule* et l'*acte.* Il faut, indépendamment des formules écrites ou parlées, mettre votre vie en harmonie avec ces mêmes suggestions ; autrement dit, la troisième manifestation de l'autosuggestion, en sus de la formule et de l'image, c'est l'action. Si, par exemple, vous voulez acquérir la concentration, cette faculté de fixer votre esprit sur un sujet déterminé, il faut rechercher les occasions qui se présentent de fixer votre attention sur une chose unique, sans vous laisser distraire par quoi que ce soit. La concentration est le moyen de devenir intelligent, d'acquérir le jugement précis sur chaque chose, d'acquérir le sens des valeurs. Vous répéterez, avant de commencer un travail quelconque : « Je concentre mon esprit sur cette chose et j'y applique mon attention d'une façon exclusive. » Puis, vous vous figurerez vous-même appliqué au travail, sans distraction, les oreilles bouchées, inaccessible aux causes extérieures. Mais si, concurremment et dans les mêmes moments, vous ne prenez pas l'habitude de vous concentrer effectivement sur un travail, si court soit-il, vos formules et images ne serviront à rien. Pourtant vous les prononcerez quand même, à chaque instant, pour démarrer, pour vous entraîner à accomplir les actes. *L'action est indispensable* ; elle complète l'image et la formule.

Si vous voulez vous guérir de la timidité, il ne faut pas seulement dire à haute voix : « Je suis hardi, je suis audacieux, j'aime parler en public » et évoquer une séance où vous parlez avec calme ; il faut encore le faire effectivement. Vous irez par degrés, vous commencerez par parler devant une glace et progressivement devant deux ou trois personnes de votre famille. Vous arriverez enfin à parler devant un auditoire nombreux, pour détruire cette timidité que vous vaincrez rapidement.

En résumé, pour vous entraîner, vous vous servirez des images et des paroles et vous ferez des efforts conscients pour les réaliser d'une façon immédiate et progressive, dans les moindres actes de la journée.

Surveillez vos pensées

Je viens de dire qu'il fallait s'entraîner progressivement à réussir. Le succès est une question d'habitude ; c'est une raison pour laquelle certaines personnes réussissent toujours, tandis que d'autres ne réussissent jamais. Ces dernières, en s'exerçant à faire usage de l'autosuggestion avec des cas faciles, formeront chez elles l'habitude de réussir.

Il faut contrôler et surveiller vos pensées. Vos pensées conscientes constituent autant de suggestions efficaces qui s'établiront dans votre subconscient et se manifesteront dans votre vie ; il est donc évident que vous devez surveiller soigneusement votre esprit conscient et n'y admettre que des pensées qui traduisent votre *vrai moi.* Exercez d'une façon constante le contrôle de votre esprit, pour n'y laisser pénétrer et s'exercer que des pensées utiles.

Volonté et maîtrise

Votre vie doit exprimer votre vraie nature, votre vraie personnalité ; il faut obéir à votre superconscient. Si l'idée est motrice, c'est-à-dire lumineuse, enthousiaste, elle constituera la volonté. La volonté n'existe pas par elle-même ; la volonté c'est l'idée nette, forte qui se transforme en acte, c'est l'idée motrice.

Cette idée motrice doit être rendue forte par l'autosuggestion renouvelée sans cesse.

Résumé. Parlez, écrivez, pensez, sentez *consciemment,* c'est-à-dire fixez votre attention sur vous-même, sur vos activités physiques et mentales, exercez une surveillance et un contrôle constants sur votre esprit conscient.

Toute activité de cet esprit conscient laissera une trace dans votre esprit subconscient, GRÂCE À L'AUTOSUGGESTION PARLÉE, RÉPÉTÉE SOUVENT.

Toute activité volontaire de votre esprit conscient devient une autosuggestion volontaire : les impressions produites sur l'esprit subconscient constituent la mémoire ; quand votre esprit subconscient communique à votre esprit conscient les impressions qu'il a reçues de lui, c'est la remémoration.

Le subconscient a tendance à reproduire les activités que votre esprit conscient lui a confiées. Ces tendances seront d'autant plus fortes que l'activité de votre esprit conscient aura été plus intense, que l'opération aura été plus souvent répétée. Plus l'idée consciente sera forte, plus elle sera exprimée souvent, *mieux l'habitude se réalisera,* plus vous arriverez à enrichir votre subconscient qui constituera *votre caractère.* Renouvelez souvent, grâce à l'autosuggestion, les activités conscientes, pour créer l'habitude : ainsi vos activités nouvelles deviennent spontanées, automatiques.

Répétez les autosuggestions. Toutes les autosuggestions sont efficaces, en tout temps et en tout lieu. Elles le sont plus ou moins suivant l'intensité de l'attention que vous leur donnez, suivant votre foi et *suivant le nombre des répétitions.*

Au début, vous n'avez pas besoin de croire à leur efficacité, pourvu que vous continuiez avec persévérance.

L'autosuggestion et la mémoire

Il n'y a pas *une* mémoire, mais *des* mémoires. Il y a autant de mémoires qu'il y a de facultés mentales. Les mémoires de la forme, du temps, des chiffres, des lieux, des événements sont différentes les unes des autres. Il y a néanmoins des règles générales qui permettent de développer toutes les mémoires. Chacun doit avoir recours à ces procédés pour développer ses points faibles.

Pour développer *la mémoire des événements,* il faut, chaque soir, dans le lit, avant de dormir, se remémorer tous les événements de la journée, en l'espace de cinq minutes, en commençant par le dernier fait du jour et en terminant par le premier.

Pour développer *la mémoire visuelle,* il faut s'habituer à considérer tous les détails d'un objet. Vous êtes en autobus, fixez un voyageur, détaillez-le complètement : la couleur des cheveux, la forme du nez, des oreilles, l'attitude, la forme des mains, le costume, la taille ; évaluez le poids, la profession, etc. L'esprit ne doit pas rester inactif, ni surtout errer au hasard.

Pour développer *la mémoire auditive,* il suffit d'apprendre une langue étrangère par la méthode du disque ou de la cassette.

Entraînez-vous à évaluer le poids, la forme, la longueur, la distance des objets, entraînez-vous à des jeux qui développent l'attention, comme le bridge, les mots croisés ; ce dernier est spécialement à recommander.

Pour s'entraîner à ces exercices, il faut se soutenir et se répéter : « J'exerce ma mémoire en toute occasion. »

Il faut surtout et avant tout s'entraîner à la concentration. Nous en avons indiqué les moyens dans le chapitre précédent. Répétez à chaque instant : « Je pense à une seule chose à la fois... Je consacre à cette étude toute mon attention... »

Pour exercer la concentration, lisez, un crayon à la main ; entraînez-vous à reproduire un texte, comme je l'ai indiqué précédemment. Pratiquez le modelage, le dessin, écrivez lisiblement, faites de la tapisserie, jouez aux jonchets, etc.

L'autosuggestion et son action sur la colère

Si un enfant présente un accès de colère, calmez-le par une lotion froide, sans le gronder ; l'effet est immédiat et complet.

Pour guérir la colère de l'adulte, il faut l'entraîner au calme ; pratiquez l'hygiène générale physique, qui rétablit l'équilibre et harmonise l'organisme. Du moment que vous rétablissez l'équilibre de l'organisme, il y a des chances pour que vous vous sentiez en harmonie avec la vie, avec vos semblables.

Chaque fois que vous êtes sur le point de vous impatienter, dites-vous : « Je suis calme, je suis énergique, je suis puissant ; la colère est une faiblesse, elle est ridicule ; de plus, elle crée des poisons; la colère tue lentement, c'est un suicide. » Répétez-vous : « Je parle lentement, je fais tout lentement, je suis doux, je suis calme, je réfléchis avant de parler et d'agir, j'agis et je parle seulement quand je suis maître de moi. Ceux qui m'entourent admirent mon calme et mon sang-froid ; j'ai sur eux une grande influence ; chacun, devant mon calme, a confiance en moi. Il faut que, pendant une heure par jour, je ne m'impatiente pas, que je sois maître de moi. Je donne l'impression d'une personne sérieuse et réfléchie. Je suis maître de moi. Je suis fier de voir que je deviens fort et énergique. Une bonne parole calme toute colère chez les autres. Il faut que, plusieurs fois par jour, je pense à avoir, pendant quelques instants, le contrôle absolu de moi. Il faut que, pendant une heure par jour, je ne m'impatiente pas, que je sois maître de moi. »

Chaque succès rend la victoire suivante plus facile. Il est agréable, pour l'élève, de constater, le soir au moment de son examen de contrôle, qu'il réussit et devient de plus en plus maître de lui.

Et sur l'égoïsme

L'égoïsme est une cause d'antipathie ; il crée la malveillance, le pessimisme, la nervosité ; il supprime l'influence sociale. Répétez souvent : « Chaque fois que je fais du bien aux autres, je me fais du bien à moi-même. La joie de faire plaisir est utile. Depuis que je pratique l'hygiène, je sens ma vitalité, ma générosité s'accroître avec la joie de vivre. Je veux faire plaisir aux autres et leur témoigner ma bienveillance. Je veux, chaque jour et en toute circonstance, être utile et agréable à qui que ce soit. Je commence par ma famille, mes parents, les personnes avec qui je suis en contact chaque jour. En augmentant ma bienveillance et ma douceur chez moi, je la pratiquerai au dehors et vis-à-vis des autres. Je constate que, de plus en plus, les miens sont plus heureux et que j'attire mes semblables ; je suis doux avec eux ; je sais donner de la joie. »

Ne pas faire d'autosuggestions négatives : ne pas dire, par exemple : « Je ne suis pas timide, je ne suis pas peureux, je ne souffre pas… » Faire, au contraire, des autosuggestions positives : « Je suis calme, je suis heureux, je suis maître de moi, je me sens très bien… »

L'autosuggestion et l'enfance

Toute éducation n'est qu'une série d'autosuggestions. Les parents et éducateurs doivent provoquer des autosuggestions étudiées, chez l'enfant, qui deviendra « bien élevé ». Ainsi, l'ascendant formera un bon caractère et une destinée heureuse. Cette éducation par autosuggestions peut se faire sciemment, volontairement. L'enfant est une cire vierge, facile à impressionner. Les impressions faites sur lui sont, par la suite, difficiles à effacer. Ne laissez rien au hasard ; veillez sur les images, les exemples, les impressions. Vous êtes responsable de sa vie future.

Sa destinée sera le résultat de son caractère ; son caractère sera fait d'habitudes. Créez donc, chez lui, des habitudes sélectionnées au lieu de les laisser se faire au hasard.

De bonnes habitudes font une bonne personnalité. Comment créerez-vous, chez l'enfant, une habitude ?... Par la répétition des mêmes actes.

Il faut viser à créer une seule habitude à la fois, en surveiller les progrès. Si un enfant est poltron et s'il craint l'obscurité, laissez-le dans l'obscurité pendant une minute. Faites-le jouer à colin-maillard, faites-lui chercher un objet dans une pièce sans lumière. Apprenez-lui à trouver ses vêtements comme un aveugle. Faites-lui exécuter cet acte plusieurs fois ; il prendra l'habitude de l'obscurité et ne sera plus poltron.

Par la même méthode, vous apprendrez à l'enfant à saluer, à bien se tenir, à porter des vêtements propres, à se laver les mains avant de se mettre à table, à faire sa toilette avant de se coucher. Vous lui apprendrez à ne jamais dire du mal de ses camarades et à acquérir l'influence sociale.

L'autosuggestion et le magnétisme personnel

On appelle « magnétisme personnel » le pouvoir que certains individus possèdent d'influencer leurs semblables, de les séduire, les entraîner. C'est la qualité fondamentale pour réussir dans la vie.

Je ne pense pas qu'il se dégage d'eux un fluide spécial — ce n'est d'ailleurs pas impossible — ; en tout cas, ce pouvoir radioactif peut se développer et même s'acquérir. Voici les traits qui caractérisent habituellement ceux qui sont doués de cette faculté sociale :

Ils ont l'apparence saine, le visage enjoué, heureux, optimiste, confiant ; leur corps est droit, ils regardent les gens en face, dans les yeux ; leur tournure est souple, leur aspect énergique, leur tenue nette ; ils sont aimables sans être obséquieux ni flatteurs ; ils ont l'air maîtres d'eux-mêmes. Ils ne parlent jamais d'eux. Ils ont « l'art de plaire ». Doués d'une humeur calme, confiants en eux, ils ont de l'aisance et se montrent respectueux et dignes. Leur poignée de main est vigoureuse et chaude. Une personne qui a peu de santé peut, néanmoins, être attractive, mais elle le serait plus si elle possédait la santé. Il faut, pour plaire, que le visage soit net, les cheveux soignés, que le sujet dégage une odeur de linge propre et non une odeur de sueur, de tabac, ou un parfum artificiel. La voix doit être harmonieuse, lente, métallique, et non pas criarde, bredouillante ou blanche.

Je veux être attractif

Vous touchez les gens par les sens. Pour plaire à leur cerveau, il faut plaire à leurs sens.

Dans une conversation, il ne faut jamais discuter violemment, ni chercher la controverse ; changer plutôt de conversation. Il est bon de suivre d'abord les gens sur leur terrain et de là, doucement, les attirer sur le vôtre. Ne jamais dire du bien de soi ; ne jamais en dire du mal non plus ! Ne jamais médire des autres ; il faut encourager les personnes auxquelles on parle.

Pour acquérir ces qualités dans les rapports sociaux, il faut les pratiquer chez soi, prendre l'attitude radioactive en famille, avec ses parents ; il faut se montrer bienveillant en toute circonstance, s'entraîner à connaître le caractère de chacun par l'étude de la physionomonie.

Dans les moments de solitude, il faut entretenir votre esprit de pensées bienveillantes ; l'idée se transforme en acte ; l'habitude de la bienveillance passera dans vos manières, dans vos actes, inconsciemment.

De plus, il faut recourir à l'autosuggestion. Il faut répéter, par exemple :

« Je veux être attractif. J'ai des sentiments bienveillants pour tous ; chacun m'aime. Je soigne mon extérieur, je suis simple, gai, bienveillant, honnête, sincère et je regarde chacun dans les yeux. Je m'acquitte toujours de mon devoir. Comme je suis honnête, sincère et soigneux, chacun a confiance en moi et sent qu'il peut compter sur moi. Je suis sain, vigoureux, donc résolu, entreprenant et confiant. Quelle que soit l'impression que font sur moi certaines personnes, je serai toujours, avec elles, aimable, calme et bienveillant. Je chercherai l'occasion d'être utile à chacun, même à son insu ; je ferai pour chacun ce que je voudrais qu'il fît pour moi. Je deviens un être attractif. »

Le magnétisme personnel est le don de plaire, d'attirer, d'exercer la sympathie. La sympathie est le prix de la bonté, de la loyauté, de la bienveillance, de la sincérité, de la force du caractère, de l'équilibre et du jugement.

Toujours optimiste

Les gens qui réussissent dans la vie sont des optimistes ; ils ont confiance dans les événements, dans les autres et en eux-mêmes ; il faut donc que vous deveniez optimiste pour réussir et être heureux. L'optimiste attend le bien ; il aime la vie et ne regarde que le beau côté des choses. Le plus sûr moyen de préparer l'optimisme est une bonne santé. Celle-ci s'acquiert par l'hygiène et la culture physique.

Le pessimisme est la tendance à exagérer les maux de la vie et à ne voir que le côté sombre des choses. Les pessimistes sont tous des égoïstes et des anxieux. Le pessimiste en veut à sa famille, à ses concurrents, à ses clients, à ses affaires ; il se sent misérable, timide, mal à l'aise, nerveux, triste, il ne réussira jamais et récoltera le découragement. Le pessimisme est, neuf fois sur dix, la conséquence de l'intoxication et de la mauvaise hygiène. Le pessimiste doit donc soigner son corps et éveiller sa vitalité. La sur-respiration est le premier exercice à lui conseiller. L'air, la lumière, le mouvement sont pour lui les premières étapes de la guérison.

L'optimisme ne coûte pas plus cher à pratiquer que le pessimisme. Répétez aux pessimistes que la pensée se transforme en acte ; qu'ils doivent commencer par être heureux dans leurs pensées pour le devenir dans les petites choses de la vie ; dans le petit monde qui les entoure, qu'ils prennent l'habitude d'une bonne pensée, d'une bonne parole pour chacun ; ils doivent oublier les défauts apparents de ceux qui les entourent. L'optimisme ne coûte rien et achète tout ce qu'il y a de beau et de bon dans la vie. Il vous donne des amis qui vous aideront en cas de besoin.

Ne vous plaignez jamais ni des gens, ni des choses, ni des événements. Systématiquement, cherchez leur bon côté. Soutenez-vous, si c'est nécessaire, par des autosuggestions optimistes telles que celles-ci:

« J'ai une hygiène rigoureuse, ma vitalité s'accroît ; mon cerveau bien irrigué aura des idées claires ; je saurai diriger ma vie. Je suis optimiste, bienveillant, généreux dans mes actes et mes pensées. Je ne verrai que le côté favorable des personnes et des choses. Je suis heureux de vivre. Je parle, agis pour le mieux dans le meilleur des mondes. Mon optimisme me fait de chacun un ami et m'attire la sympathie.

Je veux aujourd'hui qu'une personne soit heureuse de m'avoir rencontré. »

Les pensées se transforment en actes ; les pensées optimistes attirent la santé, le succès et le bonheur.

Chapitre 25

Désir, volonté et action

Désir et volonté

La volonté est la faculté de réalisation. C'est la faculté de passer d'une idée à un acte. L'origine de la volonté, c'est le désir. Si le désir d'atteindre un résultat est puissant, il force les obstacles avec une facilité telle que la volonté n'a pas l'air d'intervenir.

En général, vous croyez distinguer le désir de la volonté, parce que le premier est plus faible que la seconde, parce que l'homme peut désirer des choses impossibles, mais ne peut vouloir que ce qu'il est possible d'atteindre.

Le désir vient d'une tendance naturelle ou acquise, associée à une suggestion. La volonté est considérée comme la faculté d'accomplir une chose désirée, étudiée, décidée, en faisant tous les efforts physiques et moraux nécessaires.

La part du désir

Quelle est la part effective du désir dans cet acte de réalisation ? Sa part est large, disent les uns ; « simple mise en marche » disent les autres. Peu nous importe, du moment que le résultat est obtenu. Avec un désir violent, la volonté ne paraît pas intervenir. Avec un désir faible, la volonté doit tout faire et notre esprit perçoit davantage les obstacles et difficultés, mais peu vous importe, si vous obtenez le même résultat. Efforcez-vous de forger des désirs violents et réalisateurs et de stimuler l'action par votre enthousiasme. Il y a des personnes qui n'ont point de désirs. Elles sont incapables d'action. Quelques-unes n'ont pas de désirs, mais agissent pourtant. Elles agissent alors sous l'influence d'autrui, parce qu'elles sont suggestibles et susceptibles de subir l'entraînement moteur d'autres personnes plus volontaires qu'elles-mêmes.

Le désir intense

Le désir est dû à une de nos tendances éveillées par une suggestion ; pour que ce désir se réalise, il faut posséder la *combativité,* l'estime de soi et la *continuité.* Celui qui n'a pas le désir n'a pas de personnalité. Il faut cultiver le désir pour avoir l'occasion de faire acte de volonté en le réalisant. Le désir doit être aidé par nos qualités motrices. Plus le désir est intensifié, plus le rôle de la volonté est faible, car le désir exalte les facultés motrices de notre esprit. Ainsi l'action se réalise, c'est l'essentiel.

Le désir raisonnable

En cultivant le désir, il faut faire preuve de discernement, car il faut éliminer les désirs nuisibles à votre développement et ne cultiver que les désirs favorables. Il faut les cultiver par l'autosuggestion et après réflexion. Si le désir raisonnable est trop faible, il faut, par des autosuggestions répétées, le transformer peu à peu en un désir irrésistible.

Désir et action

L'intensité du désir est favorable à l'action, mais chaque fois que vous possédez un désir intense, ne croyez pas que vous n'avez qu'à vous croiser les bras pour laisser la réalisation se faire spontanément. Que vous le vouliez ou non, le désir intense se traduit par l'action. Un vif désir d'atteindre un résultat soutient l'attention sur ce résultat et éveille sans cesse les efforts réalisateurs, tantôt consciemment, tantôt inconsciemment. Vous êtes fatalement poussé vers la réalisation de votre désir.

Il précède la volonté

Le désir précède toujours l'acte de volonté. Sur cette table, vous voyez une pomme que vous désirez posséder. Ceci constitue-t-il l'acte de vouloir ? Non pas. Tant que votre main n'a pas saisi la pomme que vous désirez, vous ne la voulez pas. Vous passez devant un débit de liqueurs. Votre esprit intelligent dit : « N'y entre pas. » Mais supposez que vous y entriez. Vos amis diront que vous n'avez pas eu assez de volonté pour résister à ce désir. En réalité, la lutte s'est faite, d'une part, entre la crainte de devenir alcoolique, la crainte de la cirrhose du foie que cause l'abus de l'alcool, ou le désir de conserver votre cerveau intact et, d'autre part, le plaisir provoqué par l'absorption d'un excitant. Malheureusement, l'amour de l'alcool a prévalu. C'est donc parce que vous n'avez pas su incruster dans votre inconscient les inconvénients de l'alcoolisme que vous avez bu. Vous dites : « C'est la volonté qui manque. » Erreur. Entre deux suggestions, l'une : « Crains l'alcool, c'est un poison », et l'autre : « Bois de l'alcool, c'est délicieux », c'est la seconde suggestion qui a prévalu. Vous n'avez pas répété suffisamment la première autosuggestion pour créer dans l'inconscient le réflexe qui vous aurait éloigné du débit de boissons.

Vous voyez donc dès maintenant le rôle formidable que joue l'autosuggestion dans les actes dits volontaires. Mais peu importe que ce soit l'autosuggestion ou la « volonté » qui agisse, l'essentiel pour vous est de réaliser les actes que vous avez décidé d'accomplir après avoir compris leur utilité, par réflexion. Cette volonté se manifestera, si vous savez continuellement l'entraîner à l'aide de l'autosuggestion.

Action de la volonté et de l'autosuggestion

Si vous dites : « J'observe l'hygiène alimentaire, je mange lentement pour que mon estomac digère », votre estomac digérera. Je suppose que vous avez subi préalablement un bon examen clinique, car si vous avez un ulcère chronique ou un cancer d'estomac, il serait ridicule de perdre trois mois avant de vous faire opérer. L'autosuggestion vous rappellera à chaque repas que vous devez manger sainement et vous obéirez à cette indication. De plus, votre moi conscient inculquera au moi inconscient des idées qui se réaliseront par l'intermédiaire du nerf sympathique. Il agira donc, indirectement, sur vos organes internes.

Ainsi, toutes vos fonctions organiques seront influencées par votre volonté. Si vous répétez : « Je mange lentement, je bois de l'eau, je dors assez, je respire profondément, je fais de l'exercice régulièrement, je me mets dans les conditions nécessaires pour avoir une santé et une vigueur parfaites », vous avez confiance dans votre santé ; peu à peu vous échapperez à un état débile, vous vous élèverez au-dessus des conditions physiques et morales actuelles ; grâce à la volonté, vous serez maître, non seulement de vos idées et de vos actions, mais aussi de vos fonctions organiques. Je suppose toujours, bien entendu, que vous avez consulté votre médecin et que celui-ci vous a affirmé qu'il n'y avait pas en vous de *lésion organique*.

Autosuggestion et maîtrise de soi

Tout être humain est doué, sans qu'il le sache, d'un inconscient qui se compose de capacités, de tendances, d'inclinations, d'aptitudes, qui, latentes, inactives, à l'état de germes, deviennent puissantes, efficaces et précieuses quand elles sont exprimées ou exercées ; c'est alors que le *vrai moi* ou superconscient se manifeste. Le *vrai moi* doit se manifester pour que la maîtrise soit atteinte. Ce vrai moi, réalisé, vous élève au-dessus des revers, des faiblesses, et vous maintient toujours dans le droit chemin. Comme tout désir se réalise par l'autosuggestion longtemps et souvent répétée, dites à haute voix : « Je suis dès à présent *maître de moi.* » Dites-le en toute circonstance qui nécessite l'exercice de votre volonté. Vous pouvez donc agir sur vous-même pour acquérir les qualités nécessaires au succès et au bonheur. Vous pouvez influencer vos organes internes et vos fonctions à chaque minute, par l'autosuggestion et par l'observation des règles de l'hygiène.

Hétéro-suggestion

Vous pouvez aussi exercer votre volonté sur vos semblables pour les faire agir à votre convenance. Cela est l'art d'influencer, c'est l'*hétéro-suggestion.* Certains prétendent même que la suggestion pourrait s'exercer non seulement sur les personnes présentes, mais à distance, par le phénomène de la télépathie.

Cette influence d'un sujet sur un autre, cette influence inter-mentale, inter-psychique, pourrait s'expliquer par les expériences du professeur Cazzamali : des ondes s'échappent du cerveau humain, comme d'un poste émetteur, et peuvent atteindre les antennes des autres personnes, les postes récepteurs de leur cerveau. Des expériences faites avec une chambre isolante, dans laquelle le sujet est placé, ont montré le degré d'intensité des ondes cérébrales, qui varie d'un individu à un autre. Il est des sujets qui émettent très peu d'ondes cérébrales, d'autres qui en émettent beaucoup. Chez les uns, elles sont longues. Il arrive que les ondes émises par une personne donnée ne rencontrent pas, dans le cerveau du voisin, l'appareil récepteur convenable. Ces expériences sont encore dans le domaine du laboratoire. Je vous les signale à titre documentaire, mais ne pourrais vous fournir aucun détail précis sur ces faits.

Conseils pratiques

Restons dans le domaine pratique et journalier. Le jour où vous adoptez une attitude positive vis-à-vis des personnes que vous fréquentez, vous arrivez à leur faire faire ce que vous voulez. Regardez-les entre les deux yeux, parlez sur un ton ferme, exprimez des pensées nettes et claires, sachez fortement ce que vous voulez ; donnez des ordres d'une façon ferme, claire, et vous serez obéi. Un sujet animé d'un vif désir, de persévérance et de combativité se fera obéir et suivre. L'homme qui possède l'esprit de continuité, de ténacité, l'énergie, influencera les personnes auxquelles il s'adressera. Prenez donc l'habitude de donner des ordres.

Prenez l'habitude de donner des ordres pour les faits les plus insignifiants de la journée et vous serez étonné de voir que chacun vous obéit sans hésiter. Vous adoptez ainsi l'attitude impérative, positive, vis-à-vis des autres. Cette habitude prise, personne ne saura plus vous résister. Il n'y a pas là un « pouvoir occulte », mais une capacité commune à tous les humains et que vous pouvez expérimenter dès aujourd'hui. D'ailleurs, cet état d'esprit correspond à celui des « animateurs », ces personnes qui attirent les autres et leur font exécuter tout ce qu'elles veulent, ces personnes qui laissent l'empreinte de leur personnalité sur le milieu social où elles vivent, sur l'époque de leur vie active. L'animateur a, comme vous, la foi et la certitude de réussir.

Qui veut peut

Si vous voulez cultiver votre volonté, faites-en usage constamment et aidez-vous de l'autosuggestion Les paroles prononcées à haute voix la renforcent. Si vous dites tout haut :

« J'ai une volonté de fer, rien ne me résiste, chacun m'obéit », si vous le dites à haute voix à vous seul, vous développez en vous une influence considérable.

Le fait d'entendre votre parole vous donne confiance en vous-même. De plus, votre amour-propre vous pousse à mettre vos actes d'accord avec vos paroles.

Quand vous voulez être de bonne humeur, pensez : « Une gaieté folle va s'emparer de moi », et en même temps vous vous mettez à rire et vous prenez l'attitude pleine d'entrain, comme si un joyeux événement inondait de joie tout votre être.

Quand j'étais jeune, je voyais, dans une école de natation, des jeunes gens qui déclaraient : « Je ne puis plonger » ; le maître nageur plaçait une perche de secours au-dessus de la surface de l'eau, et l'élève plongeait sans hésiter à la vue de la perche. Ce cas est analogue à celui de toutes les personnes qui prétendent ne pas pouvoir faire quelque chose parce qu'elles ne peuvent pas vouloir. Un rien suffit pour les décider à faire ce qu'elles étaient persuadées de ne pouvoir accomplir et leur démontrer qu'elles ont pu faire ce qu'elles ont voulu.

À l'entraînement

Pour s'entraîner à vouloir, il faut non pas s'infliger des tâches difficiles à remplir, mais exercer sur soi un développement graduel. Entraînez-vous, d'abord, à accomplir des actes pour lesquels vous n'avez à vaincre qu'une résistance très faible. Ensuite, à mesure que vos forces grandissent, surmontez des difficultés croissantes. Par exemple, faites une promenade d'un kilomètre en disant : « Tous les 100 mètres je me baisserai comme pour ramasser un objet. » Vous aurez ainsi accompli un acte qui vous montrera que vous avez le pouvoir d'exécuter ce que vous voulez.

Discipline et persévérance

Je le répète : le désir est à l'origine de la volonté et lui vient en aide. À ce titre, les sentiments, les appétits, les impulsions, les passions deviennent d'importants stimulants de la volonté, à condition qu'ils soient contrôlés par l'intelligence et bien tenus en bride.

L'esprit de continuité, qui soutient l'effort, est indispensable. Sans continuité, rien à faire ; il vous faut, en outre, acquérir l'esprit de *discipline, d'obéissance,* c'est-à-dire la faculté d'obéir à tout ce que votre conscience vous commande.

Vous avez chaque jour, à chaque instant de la journée, l'occasion de prendre des décisions, de persister dans une résolution, de faire de nouveaux efforts, de donner des ordres. Saisissez chacune de ces occasions et aussitôt les zones motrices du cerveau pendront l'habitude de ces fonctions. Vous acquerrez la possession d'une volonté puissante et réaliserez toutes vos aspirations.

Conseils à un jeune

Je viens de vous parler d'une façon abstraite. Concrétisons. Un jeune homme de 18 ans vint un jour me trouver et me dit :

— Je veux arriver et réussir

— Quel est votre but ?... Une situation moyenne ou une haute situation ? Voulez-vous acquérir la réputation, le prestige social, la richesse ?

— J'opte pour la dernière formule. Je veux devenir quelqu'un et occuper une haute situation.

— Je vous en félicite. Voici ce que je vous conseille : Exaltez d'abord votre santé, sinon vous ne résisterez pas aux efforts. Vous allez cultiver la respiration, surveiller votre tube digestif et pratiquer l'exercice musculaire. Pendant l'observation des règles d'hygiène et des exercices physiques, votre esprit se reposera du travail intellectuel. Vous voilà donc sûr d'être sain et vigoureux. Dès à présent, changez d'attitude, tenez-vous droit, respirez profondément, regardez les gens en face, puisque vous ne leur voulez que du bien. Soutenez votre décision et répétez-vous : Je suis fort, maître de moi, j'ai le contrôle de mes actions. Je le veux, je le peux. Soignez votre extérieur. Soyez correctement habillé, que vos cheveux soient coupés fraîchement, vos ongles rasés, votre linge propre, que vos costumes vous siéent et soient en parfait état de ligne et de fraîcheur.

« Ayez un ordre parfait dans l'espace et dans le temps. Que tous vos actes de la journée, à chaque minute, soient réglés, je dirai « rythmés ». De cette façon vous ne perdrez pas de temps et vous pourrez réaliser en deux heures ce que vos camarades réalisent en sept ou huit heures. Rangez toutes choses dans un état d'ordre tel que, comme un aveugle, vous puissiez les trouver à n'importe quel moment du jour et de la nuit. Ainsi vous ne perdrez jamais de temps à les chercher.

« Votre voix est blanche. Apprenez à parler d'une façon ferme. Comme l'action de bien parler est utile dans ce monde, ne vous contentez pas d'apprendre vos leçons dans les livres, exercez-vous, seul dans votre chambre, en parlant à haute voix devant votre glace. Faites un cours à un élève imaginaire et enseignez-lui tout ce que vous apprenez. De cette façon vous vous entendrez parler, vous affermirez votre voix, vous prendrez l'habitude « d'exposer ». Vous parlerez avec clarté, fermeté, assurance.

« Offrez-vous une distraction par semaine, pour vous reposer du travail ordinaire, et une distraction supplémentaire par mois. Quelle que soit la bonne occasion qui s'offre de vous amuser pendant les heures de travail, repoussez-la, travaillez. Chaque fois que votre volonté fléchira, pensez au but que vous poursuivez. Figurez-vous que dans dix ans vous serez un « triomphateur ». Soutenez-vous par ces paroles : Je suis maître de moi, je suis maître de mes actes, j'arriverai. Je serai le premier. »

Je dispense le lecteur des détails qui suivirent ce premier conseil. Ce que je puis affirmer, c'est que ce jeune homme a existé et qu'il *est devenu un « as »*. Son ambition a été pleinement satisfaite.

Chapitre 26

De la décision

À demain

Le train et la marée n'attendent personne. Si vous avez pris la décision d'agir, *agissez immédiatement.* Dès qu'une idée vous est apparue bonne, utilisable, réalisable, faites un plan et exécutez-le *immédiatement.*

Les personnes indécises, hésitantes, ne feront jamais rien d'utile. « Je commencerai demain, disent-elles, ou lundi, le mois prochain », telle est la formule que vous entendrez sortir de la bouche des êtres sans volonté, qui ne feront jamais rien. Si un acte utile n'est point réalisé immédiatement, il le sera encore moins dans une heure, ou le jour suivant... Pour qu'une idée se transforme en acte, il faut qu'elle soit nette et précise ; pour qu'elle se réalise tout de suite, il faut qu'elle soit intense. Intensifiez l'idée dont vous jugez utile la réalisation immédiate.

De la décision

Pour exalter cette pensée, dites : « Cette chose à faire est la plus importante qui soit dans ma vie, je vais lui consacrer toute mon activité, toute mon intelligence. » J'ai décidé de me lever chaque matin à sept heures, pour faire un quart d'heure de culture physique, eh bien, avant de m'endormir, je répéterai : « Demain matin à sept heures, je ferai ma culture physique ; cela est d'une importance capitale. En effet, si je pratique régulièrement cette gymnastique, à heure fixe, je prends l'habitude d'un programme ; je deviens régulier, ponctuel, exact ; je prends l'habitude de discipliner ma volonté et mes actes ; si je commence ma journée par la toilette musculaire et la gymnastique respiratoire, je purifie mon sang ; ma santé me permettra de travailler avec intensité, rapidité et persévérance. Mon cerveau sera actif parce qu'irrigué par un sang pur. Mon rendement dépend de cette décision que j'ai prise. » Le matin, au moment de vous lever, répétez ces paroles pour intensifier votre pensée, et vous exécuterez alors automatiquement votre gymnastique, car tout ce que vous pensez d'une façon intense se réalise.

Chaque fois que vous devez accomplir un acte quelconque, faites-le tout de suite, et pour le faire tout de suite, intensifiez votre pensée, rendez-la tellement dominante qu'elle vous paraîtra la seule chose intéressante au monde.

La glande de la rapidité

Rapidité dans les actes, intensité dans la pensée sont les conditions de succès. « Mais, allez-vous m'objecter, ces pouvoirs psychiques sont des manifestations de notre nature physique. » C'est exact. Vous possédez des glandes, dites endocrines, dont chacune a une action sur votre vie organique et votre vie psychique en même temps. Si votre thyroïde est anormalement active, elle crée l'agitation, le mouvement trop rapide, car la thyroïde est la *glande de la rapidité.* Les êtres hypothyroïdiens sont lents ; ils ne peuvent prendre aucune décision ; ils se sentent rapidement fatigués et sont toujours en retard. Au contraire, les hyperthyroïdiens arrivent avant l'heure, se montrent suractifs et restent d'apparence jeune jusqu'à la mort.

Les *glandes surrénales sont les glandes de l'intensité ;* ceux chez qui elles sont suractives sont pénétrants, impétueux, ardents, intensifs ; ceux qui en sont dépourvus, au contraire, sont imprécis, superficiels, et sans persévérance.

Je pourrais ainsi montrer le rôle psychique des différentes glandes de l'organisme.

Rôle de l'autosuggestion

Il est possible de consulter un médecin, si vous vous croyez dépourvu de l'activité fonctionnelle de telle ou telle glande. Il vous enseignera à modifier le fonctionnement glandulaire par l'ingestion de la glande déficiente prélevée chez le mouton. Mais il est possible que le médecin ne vous trouve pas déficient au point de vue physique, et pourtant votre intensité et votre activité sont insuffisantes ; elles le sont alors par autosuggestion défavorable. Par exemple, vos parents vous ont donné l'exemple d'une activité réduite, d'un caractère mou, indécis. Cette suggestion mauvaise a influencé votre moral et créé cette mauvaise habitude.

Il suffit de changer vos autosuggestions et de vous rééduquer. C'est l'affaire de quelques mois ; le résultat est certain si vous consentez à vous entraîner ; si, parmi vos éducateurs ou dans votre entourage, personne ne vous a suggéré la lenteur, vous pouvez très bien, sous l'influence d'une maladie, avoir subi une insuffisance thyroïdienne ou surrénale ; vous êtes alors devenu superficiel et, après que vos endocrines sont redevenues normales, cette habitude a persisté. Il suffira de vous rééduquer et vous retrouverez l'activité, la promptitude nécessaire.

Rôle de la respiration

De plus, retenez ce détail physio-psychologique : tous vos organes ont entre eux des liens fonctionnels ; leur solidarité est parfaite. Si vous développez fonctionnellement une glande, les autres en seront influencées favorablement dans leur activité. Or, vous possédez une glande à sécrétion interne (endocrine) placée sous l'influence de votre volonté : c'est le *poumon.* Vous pouvez accroître l'activité sécrétoire interne du poumon en respirant très fort, profondément, souvent. La *sur-respiration* excitera toutes vos endocrines déficientes et ranimera votre être physique et moral en même temps. Si vos endocrines déficientes font de vous un être indécis, lent, superficiel, instable, sans persévérance, pratiquez la spiroscopie (sur-respiration) ; votre poumon, travaillant d'une façon intensive, éveillera l'activité de vos endocrines, telles que la thyroïde, la surrénale. Cultivez la respiration ; vous augmenterez physiquement l'activité de vos endocrines et psychiquement vous arriverez à acquérir ce pouvoir d'intensité et de rapidité qui vous fait défaut.

Saisissez l'occasion

Mais, direz-vous, il n'y a aucun intérêt à exécuter immédiatement un acte décidé. Si. Il y a un temps pour chaque chose ; la vie est courte ; toute idée bonne doit être réalisée tout de suite ; demain vous aurez autre chose à faire ; le temps de l'exécution sera passé. Et d'ailleurs, la promptitude est une qualité tellement importante que vous devez l'exercer à chaque instant. Grâce à la promptitude, vous serez *apte à saisir les occasions*. Souvent, dans la vie, une occasion se présente, il faut toujours être prêt à la saisir ; pour être prêt à la saisir, il faut être prêt avant d'agir. Si vous laissez passer l'occasion, je ne vous dis pas qu'elle ne se retrouvera plus, mais quand elle se retrouvera, les conditions seront moins favorables pour vous.

Mais n'agissez pas sans réflexion

Pourtant, direz-vous, il ne faut rien faire sans réfléchir. Parfaitement. Mais cette réflexion consiste simplement à équilibrer les *renseignements* que vous avez à obtenir des personnes compétentes.

Cette maison, je voudrais l'acheter : Est-elle solide ?... Un coup de téléphone à l'architecte, qui, en 24 heures, saura découvrir les tares. Est-elle bien orientée ?... Prenez une boussole. Est-elle grevée d'hypothèques ?... Allez au bureau des hypothèques. Avez-vous des fonds ?... Pouvez-vous payer comptant ?... Consultez votre portefeuille. Vous pourrez ainsi, en l'espace de 48 heures, puiser les renseignements nécessaires. Vous réfléchirez un quart d'heure ; la décision sera prise.

Franklin disait que, s'il avait une hésitation quelconque sur une détermination à prendre, il divisait une feuille de papier en deux ; d'un côté il écrivait les arguments favorables ; de l'autre, les arguments défavorables ; il faisait la balance ; quand deux arguments étaient d'égale valeur, il les supprimait. Finalement, il se soumettait aux raisons prédominantes et se décidait dans un sens ou dans l'autre. Ne soyez pas comme l'âne de Buridan qui, placé entre deux auges également pleines d'avoine de même qualité, meurt de faim parce qu'il ne sait pas par quelle auge commencer.

Une voix vous parle

L'utilité de la promptitude ne se manifeste pas seulement dans quelques rares occasions de l'existence, mais à tout moment de la journée ; c'est une des opérations morales les plus fréquentes. À chaque instant, votre voix intérieure vous dit : « Fais ceci ou fait cela » ; lui obéir vous est souvent désagréable, vous ajournez et finalement vous vous abstenez, car tout ce que vous remettez est à demi abandonné. L'oreille qui écoute cette voix intérieure sans qu'une action se manifeste, finit par s'assourdir. Nos sens sont destinés à aider l'organisme à satisfaire ses besoins, à éviter les dangers qui le menacent. Si, par habitude, vous n'attachez aucune attention aux avertissements donnés par vos sens, ceux-ci s'émoussent et ne provoquent plus aucun réflexe ; si, à côté de votre chambre, une cloche de monastère sonne chaque heure, vous ne l'entendez plus, elle ne provoque plus chez vous aucune réaction. Pendant la guerre, l'éclatement des obus, le bruit de la mitrailleuse et du canon n'éveillaient même pas l'attention des soldats qui mangeaient ou dormaient. Eh bien ! Vous avez en vous une voix intérieure qui, à chaque instant, vous dicte vos actes ; cette voix intérieure est celle qui correspond au *vrai moi* ! C'est elle qui, à chaque instant, vous dit : « Ceci est bien, ceci est juste, ceci est beau, ceci est vrai, voici la voie à suivre... » Si vous n'avez pas pris l'habitude de la promptitude, votre oreille intérieure, qui est la *conscience,* s'émousse, de sorte que la voix du vrai moi aura beau parler, l'oreille de la conscience sera lourde et vous ne réagirez pas ; vous serez ainsi privé du secours de deux organes indispensables à votre vie morale. Si, au contraire, vous prenez l'habitude de répondre immédiatement aux injonctions de votre voix intérieure, votre niveau moral s'élève. Quand vous accordez une prompte attention aux inspirations, elles constituent de véritables intuitions. Votre conscience acquiert une acuité inouïe ; ainsi s'éveilleront, dans votre psychisme, des pouvoirs cachés jusqu'ici, des capacités latentes, dans une proportion d'autant plus forte que vous y prêtez plus vivement l'oreille.

De l'exactitude

Consultez les gens d'affaires, et vous verrez l'importance qu'ils attachent à la promptitude. N'êtes-vous pas découragé par un concessionnaire d'automobiles qui vous livre une voiture avec un ou deux mois de retard, par un tailleur qui livre un costume le lendemain du jour d'une cérémonie ?... Les gens qui n'ont pas d'exactitude sont en état d'infériorité pendant toute leur vie. Ils s'excusent en invoquant le nombre de leurs occupations. La multitude des occupations est, au contraire, une raison de scrupuleuse ponctualité.

Dès le plus jeune âge, enseignez à vos enfants l'exactitude, la ponctualité, la promptitude. Choisissez leurs éducateurs, car tout laisse des traces sur leur esprit ; il faut que leurs éducateurs soient exacts et prompts ; par suggestion, ils agiront favorablement sur les jeunes esprits ; vous-même, si vous avez la mauvaise habitude d'être en retard pour un rendez-vous, pour vos repas, changez vos habitudes ; il n'est jamais trop tard. Avec une montre et un programme quotidien, vous ne serez jamais en retard. Pour commencer, faites un effort, et votre vie se transformera de fond en comble.

Pas tout à l'heure mais tout de suite

Votre situation dans ce monde sera proportionnelle à votre potentiel, à *votre valeur personnelle* ; si vous agissez avec promptitude, vous augmenterez considérablement vos chances. Si vous voulez vous entraîner, retenez que le plus grand facteur qui préside à votre formation est l'autosuggestion. Chaque fois que vous hésitez, dites : « Agis maintenant, agis immédiatement, etc. » Développez la faculté de l'effort, développez la combativité, entraînez-vous toute la journée à exécuter n'importe quel acte immédiatement. « Ma chambre est en désordre, je vais la mettre en ordre immédiatement, non pas dans cinq minutes, mais tout de suite. » « J'ai égaré mon stylo, je dois le chercher immédiatement. » « Je dois rendre visite à un être rébarbatif, il faut que je le voie d'ici quinze jours, je le verrai cet après-midi même, je lui téléphone immédiatement pour prendre rendez-vous. » Le vrai moi commande ainsi constamment au vieux moi, qui obéit comme un esclave.

Écrivez sur un fragment de papier les vérités suivantes et méditez-les pendant cinq minutes par jour : « La décision et l'action immédiates assurent le succès ; quand tu prévois la possibilité d'un projet à étudier, fais-le immédiatement, de façon que, si l'occasion se présente, tu sois capable de prendre, sans retard, une détermination. Réfléchis fortement et vite ; recueille des renseignements, si besoin est, mais prends ta décision et fixe instantanément la date où l'acte sera exécuté. »

Réfléchis mais ne t'abstiens jamais

Si « votre occasion » se présente, saisissez-la par les cheveux au passage. Vous possédez en vous le germe indéfini de toutes les qualités possibles et désirables. Vous possédez donc, à l'état de germe, la promptitude, l'exactitude, le sens de l'ordre ; ces facultés doivent être cultivées pour se révéler. Cherchez à exprimer cette vérité en exprimant : « *Cours le risque* » à toute heure du jour ; vous poursuivez ainsi un des buts essentiels de la vie.

Grâce au programme quotidien appliqué avec persévérance et soutenu constamment par l'autosuggestion, vous libérez vos énergies et votre influence sociale et magnétique.

Le magnétisme personnel, cette puissance d'attraction propre aux esprits qui se cultivent, mettra tous vos pouvoirs en activité, ils feront rayonner vers vous tout ce qu'il y a de meilleur autour de vous, ils vous attireront tous les biens qui répondent à vos désirs.

Dans le doute, réfléchis, puis agis tout de suite : ne t'abstiens jamais.

Conclusion

Vous êtes l'artisan de votre bonheur

Vous êtes le propre artisan de votre santé, de votre succès et de votre bonheur. Votre destinée dépend de votre inconscient ; votre inconscient est le fruit de votre héritage moral et des habitudes que vous avez vous-même créées. Certaines personnes ont la chance de posséder, par hérédité ou par éducation, la santé, la volonté, l'intelligence ou les qualités sociales qui attirent et influencent les autres. Dans la possession spontanée de ces qualités existe vraiment « la chance », mais c'est seulement dans ces heureuses conditions, datant de la naissance ou de la jeunesse, que la *veine* existe. Eh bien ! Ceux qui n'ont pas cette veine peuvent néanmoins acquérir ces « capacités » par « rééducation » ; il suffit de le VOULOIR, de le VOULOIR FORTEMENT, en recourant à l'autosuggestion.

Vous pouvez vous rééduquer

Cette réforme de soi-même demandera quelques années, mais, dès les premiers mois, vous obtenez des résultats appréciables et encourageants. Avez-vous vu des acrobates exécuter des exercices qui exigent autant de souplesse que d'habileté ?... Or, quelques années, quelques mois plut tôt, ces personnes étaient aussi inhabiles que vous l'êtes vous-même. Peu à peu, au prix d'une longue patience, avec de la persévérance, de l'énergie, elles sont arrivées à exécuter les tours que vous admirez. Il n'est guère plus difficile de faire de vous une personne énergique, calme, aimable, influente, que de faire un acrobate ou un pianiste. Hygiène, exercices de culture physique et morale, patience, énergie, *pratique de l'autosuggestion,* telles sont les conditions pour posséder : SANTÉ, SITUATION PROFESSIONNELLE OU SOCIALE IMPORTANTE, BONHEUR.

Voici le programme à suivre, les qualités à acquérir :

Vos idées

L'idée est la vision nette du but à atteindre et du meilleur programme pour y arriver.

Pour l'acquérir, il faut entraîner les capacités suivantes :

a) La CONCENTRATION. Qui comporte en elle-même trois actes, trois états psychiques : l'attention, l'auto-contrôle et la continuité.

b) La SUGGESTION. Auto et hétéro-suggestion. Étude du conscient, de l'inconscient, du *subconscient,* du superconscient.

c) La MÉMOIRE. Il faut développer la mémoire des chiffres, des noms, des objets, des événements et des personnes.

Votre volonté

C'est l'exécution de l'idée ; c'est le passage de l'idée à l'acte par l'autosuggestion. Étudiez les moyens de l'éduquer, de la développer.

a) MOYENS PHYSIQUES. Prenez l'attitude forte, positive ; supprimez les mouvements parasites, conservez l'allure puissante, volontaire. Faites de la gymnastique avec attention de dix à vingt minutes tous les jours. Observez l'hygiène générale et alimentaire.

b) MOYENS MORAUX. *L'auto-contrôle,* maîtrise de soi, des paroles. des pensées, des sentiments, des actes. L'entraînement au calme : évitez les gens nerveux. *Application,* effort constant pour faire tout le mieux possible, sans imperfection. *Persévérance, continuité* ; ne jamais vous arrêter dans l'exécution d'une tâche entreprise.

Esprit d'organisation

L'ordre consiste dans l'esprit d'organisation, la méthode :

a) *Ordre dans le temps :* faites un programme pour un mois, pour huit jours, pour une journée, pour chaque travail. Organisez toujours et exécutez le programme. Ayez de l'ordre dans les moindres choses ; tous les soirs, faites votre journal ; avant de dormir, remémorez-vous votre journée en commençant par le dernier acte et en finissant par le premier. Chaque dimanche, refaites le bilan de la semaine ; faites de même tous les mois ; c'est la façon de développer la mémoire et de prendre l'habitude de l'ordre et de l'organisation.

b) *Ordre dans l'espace :* une place pour chaque chose et chaque chose à sa place ; rangez tout avec autant de soin qu'un aveugle.

Quel est donc le « truc », la technique pour exécuter le programme ci-dessus ?... *L'autosuggestion.*

Celui qui développera chez lui l'idée, la volonté et l'ordre, par l'autosuggestion, sera un as dans sa carrière.

Achevé d'imprimer au Canada
Imprimerie Gagné Ltée
Louiseville